아트콜렉티브 소격

곰브리치
Sir Ernst Hans Josef Gombrich

#5

차례

쓸 만한 사람,
곰브리치

이 책은 널리 읽혀질 것이 틀림없으며 따라서 한 세대의 사상에 영향을 끼칠 것이 당연하다.

1950년 1월 27일자 『타임스The Times』 문예 부록에는 막 출간된 책 한 권에 대해 이렇게 서평을 남겨두었습니다. 매우 적극적인 호평이 틀림없습니다. 그러나 초판본이 나올 당시만 해도 이 책의 가치를 충분히 알지 못했던가 봅니다. 이 책은 한 세대를 주무를 뿐 아니라 출간된 지 70년이 지난 지금까지도 전 세계적으로 읽히며 이미 고인이 된 저자를 현존하게 만들고 있죠. 미술이라는 세계에 몸담고 있는 사람들에겐 교과서와 같은 책이며, 미술에 몸담지 않았더라도 교양서의 최고봉으로서 책장에 꽂혀 있는 책입니다.

　바로 곰브리치의 『서양미술사』입니다.

　『서양미술사』는 최고의 미술 책 반열에 오른 뒤 한 번도 추락한 적이 없습니다. 미술사를 다룬 책들은 많으나 전 세계를 아우르며 대를 거듭해 필독서로 자리 잡은 건 『서양미술사』가 유일하죠. 그런데 지금 이 책을 읽다 보면 걸리는 문제가 한두 가지가 아닙니다. 저자의 주관적인 판단과 경도된 어조는 과연 역사라는 학문에 걸맞은가? 고전주의 미술 쪽으로 기울어진 저자의 미술사적 관점이 지금도 과연 유효한가? 이 책에서 빼놓은 미술과 미술가들은 과연 간과되어도 되는가? 그래서 『서양미술사』의 비판적 읽기를 목적으로 한 책들도 여럿 등장했죠.

　우리는 『서양미술사』를 본격적으로 평가하기에 앞서 이 책을 쓴 에른스트 곰브리치를 파헤쳐보기로 했습니다. 곰브리치는 어떤 학문적 토대를 가진 미술사가였을까? 이 책 『서양미술사』를 쓰게 된 배경은 무엇이었을까?

　당시나 지금이나 『서양미술사』는 십 대를 위한 쉬운 미술 책을 처음부터 의도했다는 점에서 기획 상품이라는 비판을 받을 만합니다. 그러나 곰브리치의 학문적 과정을 살피다 보면, '과연 쓸 만한 사람이군!'이란 결론을 내릴 수밖에 없습니다. 그의 배경엔 미술과 시대를 고민한 미술사의 대가들이 자리 잡고 있었습니다. 그는 고등학생 시절부터 스스로 붙잡은 질문을 풀어내고자 미술사가가 되기로 방향을 잡았고, 빈 대학에서 20세기 최고의 지성들과 교류하면서 학문적 성과를 쌓았습니다. 빈^{Wien}학파의 적통을 이어받은 학자로서, 풍부한 학문적 역량을 갖추었기에 방대한 미술사의 세계를 하나의 이론적 논거로 꿰어서 풀어갈 수 있었던 겁니다.

『서양미술사』가 우리나라에 소개된 과정에도 분명 어떤 시대적 요구가 있었을 겁니다. 미술 책을 읽는 특별한 독자층이 생겨났다는 건 교양인이 되고자 하는 욕구와 더불어 예술과 문학을 중시하는 사회적인 움직임이 감지되었다는 뜻이니까요. 미술사가가 드물던 시절 미술사를 공부하러 유학을 떠나고 『서양미술사』를 최초로 번역한 최민 선생도, 이 책을 출간한 열화당도 그 시대를 통과하며 쌓아온 이야기들이 많았습니다.

분명한 한계에도 불구하고 『서양미술사』는 미술에 가까이 다가가고픈 마음을 부추깁니다. 탁월한 통찰과 아름다움을 찾아가는 여정이 손에 잡힐 것만 같죠. 미술가의 눈에 내 눈을 갖다 대고 싶고 미술가의 손에 내 손을 겹쳐보고 싶은 마음이 가득해집니다. 그것은 이 책이 미술 대가들의 어마어마한 창조력이나 정신의 위대함을 담고 있어서라기보다 미술가들의 예술혼이 각인되었던 그 시절을 되돌아보게 만들기 때문입니다. 그 매력에 이끌려 미술사가가 되기로 마음먹은 곰브리치처럼 우리도 신비롭고 매혹적인 예술의 순간들을 분명 간직하고 있을 겁니다.

그러므로 『서양미술사』는 미술 이야기의 끝판왕이 아니라 그 시작점이어야 합니다.

곰브리치의 『서양미술사』를 이야기하다 보니, 1920년대 우리의 젊은 예술지상주의자들이 만들어낸 동인지 『영대』가 떠올랐습니다(『아트콜렉티브 소격』 2호를 참고해주세요). 예술 속에서 가능한 모든 실험을 시도했던 예술가들의 저항과 창조의 태도는 지금과도 분명 공명하고 있으니까요. 귀하고 소중한 미술 텍스트를 흥미롭고 깊이 있게 읽어가는 시간을 『아트콜렉티브 소격』과 함께하시길 바랍니다.

아트콜렉티브 소격

에른스트 한스 요제프 곰브리치 ——————
—————— Sir Ernst Hans Josef Gombrich

미술사학자. 1909년 3월 30일 ~ 2001년 11월 3일

1909	오스트리아-헝가리 제국 치하의 빈에서 출생. 아버지 카를 곰브리치는 법률가이며, 어머니 레오니 호크는 빈 음악학교를 나온 음악가였다.
1928	테레지아눔 중등학교(인문계 김나지움)를 거쳐 빈 대학에 입학. 한스 티체, 율리우스 폰 슐로서 아래에서 미술사 공부를 시작.
1933	폰 슐로서의 지도로 줄리오 로마노의 매너리즘 건축에 대한 논문으로 박사 학위를 취득. 빈 미술사박물관 장식미술 파트에서 일함.
1936	피아노 연주자인 일제 헬러(1910~2006년)와 결혼. 『곰브리치 세계사 A Little History of the World』 출간. 나치를 피해 런던 대학 내 바르부르크 연구소에 연구자 자격으로 건너감.
1937	아들 리처드 곰브리치 출생. 그는 종교학자로 초기 불교 연구의 권위자다.
1950	『서양미술사 The Story of Art』 출간.
1956	바르부르크 연구소 소장이자 고전사 파트의 교수로 임용.
1960	『예술과 환영 Art and Illusion』 출간. 영국 아카데미 멤버로 추대.
1963	연구 논문을 모은 『놀이 목마에 대한 명상 Meditations on a Hobby Horse』, 『예술론 에세이 모음 Other Essays on the Theory of Art』 출간.
1966	영국 연방 훈장 받음.
1966	『르네상스 미술 연구 Studies in the Art of the Renaissance』 출간.
1970	『아비 바르부르크 평전 Aby Warburg, an Intellectual Biography』 출간.
1972	영국 정부로부터 기사 작위 서임.
1979	『질서의 감각 Sense of Order』 출간.
1981	『이미지와 눈 The Image and the Eye』 출간.
1988	영국 정부로부터 메리트 훈장 받음. 런던 대학에서 연구를 이어감.
1994	괴테 상 수상.
1995	『서양미술사』의 16번째 에디션 출간.
2000	파이돈 출판사에서 『E. H. Gombrich: A Bibliography』(J. B. Trapp) 출간.
2001	런던에서 사망(향년 92세).

悅話堂美術選書 ②
西洋美術史 下
곰브리치
崔旻 譯
悅話堂

悅話堂美術選書 ①
西洋美術史 上
곰브리치
崔旻 譯
悅話堂

서양미술사, 잃어버린 시간에 대하여

1977년, 열화당 초판본

곰브리치의 『서양미술사』가 국내에 번역되어 초판
1쇄를 찍은 것은 1977년 7월이다. 파이돈에서 초
판이 출간된 1950년으로부터 약 27년이 지난 뒤
에 국내 번역본이 나온 것이다. 『서양미술사』는 열화
당 미술선서 시리즈의 처음을 장식하며 등장했다.
1977년부터 지금까지 끊임없이 읽히고 소장되는
책『서양미술사』의 역사적인 초판본은 과연 어떤 모
습일까?

경기도 파주시 출판도시의 열화당책박물관 학예
연구실을 방문해 서고의 첫 부분에 가득 꽂힌 『서양
미술사』를 만났다. 쇄별로 디자인이 다른 이 책들은
1994년 출판권이 예경으로 넘어간 까닭에 더 이상
열화당의 출간 리스트에 올라와 있지 않은 절판된
책이다. 이 책들은 20년이 넘도록 세간의 관심사에
서 비껴나 있었다. 우리는 다시금 이 책들의 기원을
따져 물으며 『서양미술사』의 시간을 찾아볼 생각이
다. 책은 저마다의 운명이 있고 저마다의 시간을 갖
는다. 『서양미술사』의, 내용은 같지만 결코 같지 않
은 사물의 이야기, 『서양미술사』의 평행우주를 지금
만나려고 한다.

『서양미술사』 초판본은 바로 어제 인쇄를 마친 새 책처럼 느껴졌다. 초판본은 43년 후에 우리가 알고자 하는 책의 맥락에 대해 많은 답을 일러주었다. 좋은 미술 교양서를 제안해달라는 열화당 이기웅 대표의 요청에 미술사학자 최민이 응답한 책이 바로 곰브리치의 『서양미술사』였다. 최민은 파이돈에서 출간된 1971년 판본으로 번역에 착수했다. 1970년대 초반, 미술사를 공부하는 사람들에게 파이돈 원서는 귀한 책이었을 것이다.

1977년은 열화당에게 매우 중요한 해였다. 그동안 문학 분야에서 쌓아온 입지를 바탕으로 미술 분야로 영역을 확장하기로 하고 미술선서 시리즈를 기획했다. 『서양미술사』와 더불어 서양 미술 작품 감상법, 중국회화사, 일본미술사, 경주의 고적, 한국의 불화, 조선의 민화 등의 주제가 선정되었다. 이후 20여 년간 미술선서는 블라디슬로프 타타르키비츠의 『예술 개념의 역사』, 지오 폰티의 『건축 예찬』, 르네 위그의 『예술과 영혼』 등을 포함한 70여 권으로 이어졌다. 이 시기부터 미술 이론서, 미술가 평전, 화집 등 미술 서적들이 본격적으로 출간되기 시작했으니, 당시를 우리 사회의 미술 교양 활동이 발현된 시기로 보아도 무방할 것이다.

곰브리치는 바로 이 시기를 이끈 미술사였다.

곰브리치 박사의 「西洋美術史」(원제 : "Story of Art")는 영어로 쓰여진 교과서적인 미술사 서적중 누서녀 손가락 안에 꼽히는 너무나도 유명한 책이다. 저자 자신이 머리말에서 밝히고 있듯이, 이 책은 전문학자들을 위한 것이 아니라 미술의 세계에 처음 발을 들여놓은 초보자들을 위한 입문서다. 너무나도 복잡해서 도저히 갈피를 잡기 힘든 서양미술사의 방대한 흐름을 여기에서처럼 일목요연하고 알기 쉽게 설명해 놓은 책은 찾아보기 힘들다. 그럼에도 불구하고 제일급의 학자가 아니고서는 감히 접근해 볼 엄두도 못 내는 가장 근본적이고 핵심적인 문제점들을 심오한 차원에까지 탐구해 들어감으로써 학계에 커다란 반향과 찬탄을 불러 일으킨 바 있다. 특히 현대 知覺心理學의 성과를 원용한 독특한 방법론으로써 "보는 것"과 "아는 것"사이의 연관성을 중요시하며 여러 세기동안 수많은 미술가들이 각기 어떠한 문제를 극복 해결하고자 애써 왔는지를 구체적인 작품 분석을 통하여 자상하게 해명해 놓고 있다.

譯者 崔旻

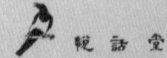 悅話堂

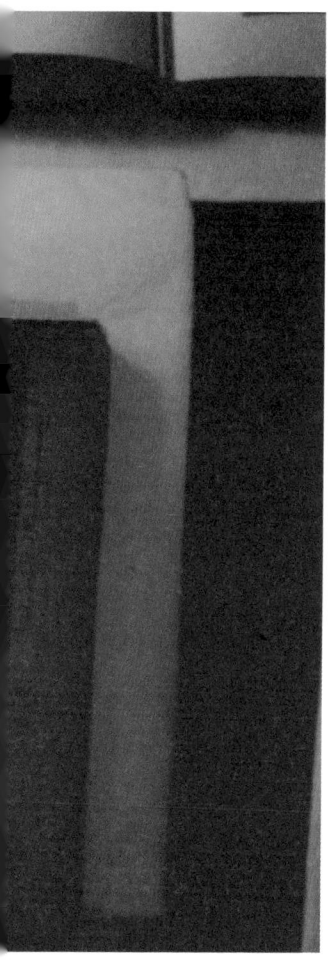

"너무나도 복잡해서 도저히 갈피를 잡기 힘든 서양 미술사의 방대한 흐름을 여기에서처럼 일목요연하고 알기 쉽게 설명해놓은 책은 찾아보기 힘들다. 그럼에도 불구하고 제일급의 학자가 아니고서는 감히 접근해볼 엄두도 못 내는 가장 근본적이고 핵심적인 문제점들을 심오한 차원에까지 탐구해 들어감으로써 학계에 커다란 반향과 찬탄을 불러일으킨 바 있다. 특히 현대 지각심리학知覺心理學의 성과를 원용한 독특한 방법론으로써 '보는 것'과 '아는 것' 사이의 연관성을 중요시하며 여러 세기 동안 수많은 미술가들이 각기 어떠한 문제를 극복, 해결하고자 애써왔는지를 구체적인 작품 분석을 통해 자상하게 해명해놓고 있다."

—역자 최민의 글

열화당에게 듣다

 # 열화당에서 『서양미술사』를 출간하게 된 계기는?

이기웅 열화당 대표가 이 책을 처음 번역한 최민 선생에게 미술사와 관련해 좋은 책을 소개해달라는 부탁을 했고, 최민 선생이 곰브리치의 『서양미술사』를 추천하고 번역했다. 1971년에 출판사를 연 열화당은 초창기엔 옛 문헌의 복각본과 문학 책을 주로 출간했고, 이후 '미술문고' 시리즈로 미술 책을 내기 시작했다. 그러면서 좀 더 심도 있게 미술에 접근하는 텍스트를 찾던 중이었다.

당시에는 예상보다 번역에 시간이 오래 걸려서 출판사 측에선 최민 선생에게 독촉 편지도 여러 번 보냈다고 한다. 이기웅 대표는 그 기간이 편집자로서 훈련하게 된 시간으로 기억한다. 번역한 문장 중에 어색한 부분을 수정하기도 했는데, 당시에는 납활자를 쓸 때여서 인쇄소에서 욕을 먹기도 했다.

 # 번역자인 최민은 누구인가?

최민(崔旻, 1944~2018년)은 서울대 고고인류학과와 동대학원 미학과를 졸업했다. 이후 1993년 파리 제1대학에서 예술학 박사 학위를 받고 한국예술종합학교 영상원 명예교수를 지냈다. 『서양미술사』, 『미술비평의 역사』, 『인상주의』 외에도 존 버거의 『다른 방식으로 보기』를 번역했다. 『상실』, 『어느날 꿈에』 등 시집도 출간한 바 있다.

디에고 벨라스케스 (라스 메니나스)

이 그림은 벨라스케스와 궁정의 조각을 그리고 있는 것
이다. 그림 속 거울 속에 국왕과 왕비의 초상을 그리고 있을
때의 모습 우리가 보고 있는 것과 같은...

최민은 1970년대부터 2000년대까지 미술과 영화 분야의 현장에 몸담으며 많은 글을 남겼다. 이들을 묶은 산문집『글, 최민』이 곧 열화당에서 출간될 예정이다.

『서양미술사』를 번역할 때 파이돈 출판사의 1971년판을 원본으로 삼았다고 짐작된다.

1980년대 후반에 이르면 미술 전공자가 아닌 이들도 필독서처럼 『서양미술사』를 읽었다. 시대적으로 어떤 변화가 있었을까?

대학생들 사이에서 사회과학 서적에 대한 욕구가 폭발한 시기와 맞물렸을 것으로 보인다. 당시 우리나라에서도 많은 사람들이 미술사를 공부하고 싶어 하고, 미술에 대한 사회적 욕구도 높아진 시기였다.

1994년 전면 개역판을 출간했는데, 그 이유는?

1993년에 파리 1대학 조형예술학부에서 예술학 박사 학위를 받고 돌아온 최민 선생이 주도해 어색한 문장을 고치고 손을 많이 봤다. 1977년 초판 발행 때에 비해 제본 기술이 나아지고 편집 제작 기술이 발달했기 때문에 오프셋 인쇄 방식에 맞게 판을 다시 짰다.

최초의 판본 디자인은 누가 했을까?

초판은 이기웅 대표가 했다. 1985년 개정판에는 표지 바로 뒤에 표지 디자인 정병규와 차명숙으로 표기되어 있고, 1994년 개역판에서는 판권에 북디자인 박노경, 이옥경으로 표기되어 있다.

西洋美術史 上

E.H. 곰브리치／崔民 譯

發行人　李　起　雄
發行處　悅　話　堂
發行日　1977. 8. 10
登錄番號　제 6—8호
登錄日字　1971. 7. 2.
서울 西循洞 130—105
印刷處　京一印刷所

값 2800원

連絡事務室·서울 鍾路區 淸進洞 3-3
電話 ⑭ 1387

著者 E. H. 곰브리치(Gombrich)는
現在 세런세 있는 英·獨의 탁월한
美術史家 중의 한 사람으로서, 現재
런던대에 있는 와아그 인스티튜트
(Warburg Institute)의 소장으로 있으
며, 옥스포드, 케임브리지大 및 하바드
大 등의 美術史 교수를 역임한 바 있
다. 결과로는 이 ...

E. H. Gombrich
THE STORY OF ART
PHAIDON, 1971

도판 384매, 그 중 원색도판 21매

**# 정병규 선생은 국내 출판계에 북디자인의 개념을 처음 도입한 분이다.
이 책에 어떤 식으로 참여했을까?**

정병규 선생은 우리나라 북디자이너 1세대에 해당한다. 당시에 그는 열화당과 민음사의 북디자인을 많이 했다. 열화당에서는 『서양미술사』가 포함된 열화당의 '미술선서' 시리즈를 디자인했다. 그는 파리와 도쿄에서 디자인을 공부했고, 그 시절엔 생소했던 '타이포그래퍼'라는 단어를 널리 알렸다.

 # 『서양미술사』가 열화당에서 예경으로 출판사가 바뀐 것은 언제였나?

곰브리치의 『서양미술사』는 1994년에 예경 출판사가 정식 저작권 계약을 맺어 1997년에 초판을 출간한 뒤 줄곧 예경 출판사에서 판매하고 있다. 한국에서도 저작권 개념이 확립되면서 서서히 열화당의 판본은 사라졌다. 열화당에서 발 빠르게 대응하지 못했던 탓이 크다. 이후 존 버거의 『다른 방식으로 보기』의 번역을 최민 선생에게 제안했는데, 열화당의 시작을 함께했던 그와의 인연을 새롭게 이어가자는 뜻에서였다.

열화당 판본의 변천

초판 사양

1977년 7월 10일 발행

1, 2권 세트로만 판매

골판지 케이스

쪽수 | 638쪽

가격 | 2,800원

인쇄 | 경일인쇄소

개정판 사양

1985년 7월 30일

1, 2권 세트로만 판매

골판지 케이스

쪽수 | 638쪽

가격 | 9,000원

인쇄 | 삼성인쇄(주)

북디자인 | 정병규, 차명숙

개역판 사양

1994년 6월 1일

1, 2권 세트로만 판매

인쇄된 종이를 붙인

흰색 케이스

쪽수 | 616쪽

가격 | 22,000원

인쇄 | 로얄프로세스

북디자인 | 박노경, 이옥경

낡은 서가에 꽂힌 책들을 세상 속으로 불러 모았다. 인식의 변화, 서체와 디자인의 변화, 인쇄술의 변화, 취향의 변화, 무엇보다 미술계의 변화…… 한 권의 책이 변화해온 과정은 시대의 변천과 궤를 같이 한다. 독서는 매우 사적인 영역의 경험이지만 책의 운명은 사회의 흐름에서 비껴갈 수 없다.

1990년대 후반, 판권과 미술 저작권이 강화되면서 미술 출판계에 지각 변동이 일어났다. 1994년 『서양미술사』의 판권은 예경으로 옮겨 갔고, 열화당은 근대미술 분야의 숨은 저작들을 이끌어내는 쪽으로 기획의 방향을 전환했다.

예경 판 『서양미술사』는 영국의 파이돈 출판사와 공동출판co-production 방식으로 출간되고 있다. 우리가 읽고 있는 『서양미술사』는 원서와 도판의 퀄리티는 물론 본문 디자인도 똑같다. 이로써 전 세계가 똑같은 『서양미술사』를 읽는다.

그동안 국내 여러 출판사들이 해외 출판사와 공동출판으로 미술 책 시리즈를 냈으나 성공적으로 정착한 시리즈는 거의 없다.

오직 『서양미술사』만 제외하고.

FOCUS TABLE

This book is intended for all who fe
strange and fascinating field. It may
land without confusing them with
intelligible order into the wealth
the pages of more ambitious wor
more specialized books. In writi
in their teens who had just disc
I never believed that books for
for adults except for the fact th
class of critics, critics who are
pretentious jargon or bogus
ces which may render

훔친 책

이지은

이 지면을 빌려 오래 묵은 한 가지 비밀을 고백하고 싶다. 나는 어릴 때부터 책에는 돈을 아끼지 말아야 한다는 부모님의 지론에 따라 보고 싶은 책이라면 무엇이든 마음껏 볼 수 있는 복을 누리며 자랐다. 그럼에도 불구하고 생애 유일하게 훔친 책이 있다.

지금이라도 변명을 하자면 훔쳤다기보다 책을 넘겨보다가 너무나 얼이 빠져서 나도 모르게 그냥 들고 나왔다고 하는 게 맞을 듯하다. 정신을 차려보니 이미 서점 문을 나선 이후였고 손에는 그 책이 들려 있었다. 당시에는 서점 문 앞에 요즘처럼 도난 방지기가 달려 있지 않아서 가능했던 일이다. 다시 이 자리를 빌려 지금은 사라진 그 서점 관계자분께 죄송하다는 말을 꼭 전하고 싶다. 죄

송해요. 저도 모르게⋯⋯.

그 책은 한국을 떠나 유학을 나선 나의 여정을 줄곧 따라다니며 아직도 파리의 아파트 서가에 곱게 꽂혀 있다. 이제는 표지도 다 떨어져 나가고 본문 종이도 가장자리가 까맣게 되도록 낡았다. 파란 줄, 빨간 줄, 형광 줄, 메모, 커피 자국 등이 켜켜이 쌓여 이제는 유물이 된 책, 그 책의 이름은 에른스트 곰브리치의 『서양미술사』다. 1997년에 초판이 발행된 예경 출판사의 이 책은 우연히 서점에서 만났던 1998년 당시 파격적으로 비싼 가격인 29,000원짜리 고급 서적이었다.

도대체 그 시절 왜 그토록 이 책에 매혹되었을까? 곰브리치의 『서양미술사』는 내가 처음으로 접해본 미술사 서적이었다. 책 안에 실린 도판도 가슴이 뛸 정도로 신기했지만 무엇보다 무려 688페이지를 깨알같이 채운 검은 글자, 그 촘촘한 활자들의 논리성에 반해버렸다.

시대도 다르고 출신도 다르며 분명 성격이나 인생도 천차만별일 게 뻔한 예술가들의 작품을 이렇게 한 줄로 꿸 수 있다니! 당시 나에게 곰브리치는 책 속에 등장하는 무수한 예술가들보다 더 감탄스러운 동경의 대상이었다.

일반적으로 미술사는 역사적 사실을 다루는 학문이기 때문에

연대기적 사실들의 집합이라고 생각하기 쉽다. 하지만 정작 미술사는 모래알처럼 많은 작품과 예술가들을 분석하고 정리해서 하나의 큰 논리를 만들어내는 작업이다. 미술사의 창시자로 일컬어지는 요한 요아힘 빙켈만은 고대 그리스, 로마의 미술을 탄생과 발전, 절정과 쇠퇴라는 생물학적 사이클에 적용하는 것으로 미술사라는 학문의 기틀을 세웠다. 빙켈만에게 개개 작품의 가치는 생물학적 사이클을 증명하는 예시다.

빙켈만보다 앞선 르네상스 시대의 미술사가로 유명세를 날린 조르조 바사리가 미술사라는 학문의 '시조'라는 영광의 자리를 놓친 이유가 여기에 있다. 바사리는 작품과 예술가를 손에 잡힐 듯 생생하게 그려내고 증언했지만, 그 작품들을 분석해서 특정한 경향의 그룹으로 나누거나 뭉쳐서 분류하지 않았다.

빙켈만이 증명했듯이 미술사는 사실을 다루는 과학적 학문이지만 미술사에서 사실이란 극단적으로 말하면 하나의 소재에 지나지 않는다. 여기서 핵심은 소재를 모아 해석하고 논리를 세워 증명하는 과정이라 할 수 있다. 즉 미술사는 방법론이 지배하는 학문이라는 얘기다. 우리가 익히 아는 인상파나 나비파, 야수파 같은 이름들은 이 논리를 증명하는 과정에서 같은 성향을 띠는 다수의 복합적인 작품을 하나로 묶는 라벨이자 카테고리라고 할 수 있다.

이런 이유 때문에 피카소는 자신의 작품을 '큐비즘'이라고 간단하게 분류해버리는 데 심하게 반발하기도 했다. 자신의 자아와 작품이 무엇보다 중요한 작가에게 타인이 부여한 라벨이란 얼토당토않은 이야기에 불과할 테니 그의 분노도 충분히 이해가 된다.

이러한 방법론적 측면에서 보자면 곰브리치는 미술사가들을 싫어했던 피카소도 그럭저럭 고개를 끄덕일 만한 논리를 펼친다. 그는 시대적으로 분명하게 구분되는 양식의 존재나 당대 사회의 풍경, 철학에 집중하기보다 개별 예술가의 특징에 초점을 맞춘다. 즉 곰브리치의 미술사는 개별 이미지들을 연결해서 만든 거대한 거미줄이라고 할 수 있다. 곰브리치의 거미줄은 예술가가 표현한 이미지 자체에 집중하고 있기 때문에 이론적인 배경을 이해하는 데 많은 시간을 들여야 하는 여타 미술사가들의 미술사보다 더 친근하게 다가온다.

미술사에 본격적으로 입문하고 미술사가 어떠한 학문인지를 알게 되면서 곰브리치에 대한 동경은 한풀 꺾였다. 미술사라는 광대한 우주에는 곰브리치 외에도 반짝이는 행성 같은 사학자들이 많다는 걸 알게 되었기 때문이다.

그럼에도 미술 전공자가 아닌, 친한 동생 같은 지인에게서 미술사 책을 추천해달라고 부탁받을 때 가장 먼저 떠올리는 책은 역시 곰브리치의 『서양미술사』다.

나는 이제 부지불식간에 훔친 예경 출판사의 버전 외에도 붙어판, 영어판『서양미술사』를 소장하고 있다. 미술사의 고개고개를 숱하게 넘어왔지만 여전히 그는 나에게 미술을 바라보는 하나의 가늠자이자 나침반이다.

이지은

1999년 파리로 유학을 떠나 프랑스 크리스티 경매 학교와 감정사 양성 전문 학교인 IESA에서 수학했다. 파리 1대학에서 '무형 문화재 비교 연구'로 박물관학 석사 학위를, 파리 4대학에서 '아르누보 시대의 식당 가구'로 미술사학 석사 학위를 받았고, 동대학에서 박사 과정을 수료했다. 현재 파리에서 거주하며, 미술과 오브제 문화사에 관한 글을 쓰고 있다.

히스토리가 아닌 스토리, 『서양미술사』 읽기

최예선

서양미술사는 십 대에게 들려주는 미술 이야기라고 한다

"미술이라는 것은 사실상 존재하지 않는다. 다만 미술가들이 있을 뿐이다."

에른스트 곰브리치의 『서양미술사』 서론의 첫 문장은 이렇다. 이 문장은 미술이라는 세계로 입성하려는 사람들에게 커다란 용기를 준다. 역사를 꿰뚫겠다는 각오나 멀미 나는 도서관 공부 따위 잊으라는 쿨함이 있다. 적당히 포근하고 환한 거실에서 화집을 펼쳐가며 그림 공부나 하자는 권유라고 할까? 본문만 637쪽에 달하는 이 책을 읽는 행위가 우리가 한 번쯤 들어도 보고 작품 감상도 해보았을 미술가들을 한 명씩 불러보는 일이라면 가뿐하게 페이지를 펼쳐볼 수 있지 않을까? 미술은 난해할 수 있으나 미술가들은 제아무리 천재고 영웅이라 해도 우리와 같은 종에 속하니까 말이다.

첫 문장은 이 방대한 책을 읽어나가는 길잡이가 된다. 로마네스크와 고딕 양식을 구별해내거나 이집트와 그리스 예술의 우열을 논할 필요가 없다고 이 책은 말하고 있다. 서문에서 밝힌 바와 같이, 곰브리치 경은 이 책 『서양미술사』를 이제 막 미술 세계를 발견하고 흥미를 갖게 된 십 대의 독자를 염두에 두고 집필했다. 그러면서 이들이야말로 최고의 비평가라고 덧붙인다. 유식한 척하는 전문 용어의 나열이나 뻔한 평가들을 재빨리 알아채고 분개할 독자들이라고. 그러므로 자신은 명쾌하고 쉬운 언어를 사용할 것이며, 도판이 존재하는 작품만을 서술할 것이라고 쿨하게 적어두었다.

이 때문에 이 책의 서술에는 몇 가지 약점이 예상된다. 곰브리치가 말한 대로 칭찬은 비판보다 지루하다. 중요한 작품만을 서술하다 보면 박진감 있게 이야기를 만들어내기 어렵다. 물론 진부한 작품이라 해도 어쩔 수 없이 써야 할 일도 생기고, 진정한 걸작을 제외하는 상황도 감내해야 한다. 여기서 제외된 미술에는 곰브리치 『서양미술사』의 최고 독자층이기도 한 한국의 미술도 포함된다(이 점에 대해 곰브리치는 한국어판 서문에서 유감을 표시했다).

여기서 『서양미술사』라는 제목이 조금 불편해진다. 본래 이 책의 제목은 '미술 이야기^{the story of art}'다. 그러나 다루는 지역과 그 배경이 유럽권에 기초한다는 이유로 극동의 우리에게 와서는 '서양미술사'로 둔갑하고야 말았다. 한 연구자가 사랑해 마지않은 연구 분야를 개인적인 경험을 토대로 기술한 이야기가 '서양미술사'라는 장르로 읽히는 것이 저자의 의도는 아니라고 해도 말이다. 그쪽 나라에서도 미술사의 개념들을 달달 외워야 하고 그 과정이 무척 고통스러웠는지, 곰브리치는 외우지 않아도 되는 미술 책을 쓰고 싶었다고 했다. 그러니 그의 의도대로 우리는 미술에 대한 하나의 이야기로 이 책을 읽어나가는 게 좋겠다.

아직도 서문에 머물고 있지만, 한 가지만 더 이야기해보자. 이 책은 미술의 진보에 대해서도 이야기하지 않는다. 원시 미술부터 고도로 발전한 사회로 나아가는 시간적 흐름이 미술의 배경에도 적용되긴 하지만, 미술의 방향이 앞과 다르다 하여 앞 시대의 미술을 극복했다거나 후대의 미술이 더욱 진보했다고 보는 시선을 철저히 금하고 있다. 이 점에 대해서도 곰브리치 경은 약간의 양해를 구하긴 한다. 갈등과 경쟁, 전투와 승리 같은 흥분감 넘치는 스토리가 있어야 독서의 쾌감이 높아질 텐데 이를 놓을 수밖에 없을 거라고 말이다. 이 책을 읽어가는 동안 독자들이 졸음과 싸우는 위기의 시간이 얼마나 자주 찾아오는지 그는 미리 알고 있던 것이다.

이 문구를 적어 넣을 때 곰브리치 경은 겸연쩍은 표정을 지었을 지도 모른다. 그리고 이런 제안을 덧붙였다. 미술가들이 만들어놓은 실물들, 그 역사적인 걸작을 직접 대면해보라고 말이다. 실제로 미술관을 즐겨 다니는 사람이라면 이 책에서 그림을 배치한 방식과 곰브리치가 말하고자 하는 지점이 한층 명쾌하게 다가올 것이기 때문이다.

이참에 이 책에 실린 작품만을 모아 곰브리치 미술관이 생기는 것을 상상해본다. 요즘처럼 해외 미술관 여행이 어렵고 휴대폰이나 컴퓨터를 들여다볼 시간이 늘어난 때를 겨냥해서 3D 증강현실로 곰브리치 미술관을 구현한다면 좋지 않겠는가? 누가 하느냐고? 그거야 당연히 『서양미술사』로 떼돈을 번 파이돈 출판사가 나서야 하지 않을까?

곰브리치는 '히스토리'가 아니라 '더 스토리'라고 제목을 붙였다

이런 질문을 한번 해볼까? 당신은 언제 '이것이 미술이구나'라고 깨달았는가? 나는 초등학교 4, 5학년 때쯤 단체 관람을 갔던 《진시황전》이 생각난다. 변변한 유물 하나 오지 않았던 그 전시회는 온통 눈속임 그림들로 장식되어 있었다. 유물은 단 세 점뿐이었

▲ 피에르-오귀스트 르누아르, 〈이렌 캉 당베르의 초상〉, 1880년.

▼ 툴루즈 로트레크, 〈디방 자포네(일본식 의자)〉, 1893년.

다. 실망은 잠시였다. 새로운 세계를 만나는 흥분에 들떠 있다는 걸 나는 분명히 알고 있었다. 변변찮은 그 전시가 나에게 미술을 감상하는 일이 얼마나 뜨겁고 흥분되는 일인지를 알려주었다고 하려니 약이 오를 지경이지만 말이다.

다른 순간도 있었다. 광고에 등장한 르누아르의 그림! 금발 머리를 풀어헤친 이렌 캉 당베르 양의 초상에 마음을 빼앗겨 글을 끄적거렸던 적도 있었다. 이쯤 되니 연쇄 반응처럼 어린 시절에 찾아온 그림들이 떠오른다. 그때는 집집마다 대백과사전을 갖추는 게 유행이었는데, 나는 미술 편을 펼쳐 도판을 보는 걸 무척 좋아했다. 비 내리는 센 강변을 회색조로 담은 알베르 마르케의 그림과 툴루즈 로트레크의 판화는 지금까지도 기이한 그림을 찾아가는 내 성향을 형성한 것도 같다. 가물가물한 어린 시절부터 만화에 푹 빠져 종이란 종이에는 죄다 그림을 그려놓기도 했다. 기억의 파편들은 내가 미술을 발견한 순간 역시 신비로운 기원을 갖고 있음을 알려준다.

곰브리치가 '신비에 쌓인 기원'이라고 첫 챕터를 시작했듯이, 이는 우리가 미술을 인식하는 순간과도 닮았다. 우리는 그림인 줄도 모르고 형태를 그렸고 형태를 주고받으며 의사소통을 했다. 그린 그림을 버리지 않고 모아두면서 '영원을 위한 미술'을 꿈꾸었고, 어느덧 비루한 솜씨를 개탄하는 '위대한 각성'의 순간을 맞았다.

그때 우리는 '아름다움의 세계'란 내 속에 있는 것이 아니라 외부에 있다는 것을 알게 된다. 외부의 존재들과 싸우고 결탁하는 시기를 거쳐, 거쳐, 거쳐, 미술학도가 되거나 미술애호가가 되거나 미술 책을 읽는 사람이 되고야 말았다.

곰브리치는 이 제목들로 선사 시대와 원시 부족의 미술에서 고대 이집트를 지나 고대 그리스 미술까지 이야기를 이끌어나간다. 그 후 이상적인 아름다움을 탐구했던 시대가 가고, 수많은 감각과 눈을 가진 집단들이 서로 섞이는 대제국의 시대, 대정벌의 시대로 이행하면서 미술의 규범과 방법이 하락하고 상승하는 과정 등을 시간상으로 보자면 매우 길지만 다행히도 짧게 축약해 서술하고 있다. 그럼에도 지루함이 살짝 밀려올 즈음, 구원 투수처럼 건축이라는 장르가 치고 들어온다.

미술가라고 하면 화가를 가장 먼저 떠올리기는 하지만, 곰브리치는 각 챕터의 시작을 건축의 변화로 서술할 만큼 건축과 조각을 무척 중요하게 다루었다. 건축은 삶의 그릇을 만들어가는 방식으로 시대의 인식이나 기술 발전과 밀접하게 관련된다. 건축은 때로 전통과 단절하기도 하고 때로 전통과 조화를 꾀하기도 하면서 각성과 실험을 거듭해왔다. 곰브리치는 "현대미술은 과거의 미술과 마찬가지로 한 시대의 특정한 문제에 대한 반응으로 존재하게 되었다"(557쪽)고 했는데 이는 건축의 역사에도 그대로 들어맞을뿐더러 건축의 공간은 체험의 방식에서도 회화 이상으로 강렬한 감각을 제공한다.

한때 건축은 시각적 환희의 경험을 추구했던 역사가 있다. 석재 지붕을 올리기 위해 궁륭을 변화시킨 고딕 건축이나 르네상스를 이끈 브루넬레스키의 건축이 성취한 시각적 환상성은 그것이 신의 세계로 진입하는 황홀한 경험이건 인간이 찾아낸 자연법칙을 구현한 것이건, 시대를 막론하고 입을 벌리고 천장을 쳐다보게 만드는 경이로운 순간을 선사한다. 곰브리치는 이 점을 놓치지 않았다. 독자들을 고화질 건축 도판으로 유혹해 건축 속에 잠시 거닐다가 다시금 수많은 화가들과 조우하도록 가이드 동선을 매끄럽게 짜두었다.

어떤 시대든 그 사회는 예술과 취향에 관한 한 그 나름의 특이한 편견을 가지고 있다

건축, 그림, 조각, 그리고 곰브리치 경이 꼼꼼하게 다루는 분야인 삽화 등이 각각의 영역에서 독자적으로 구축된 것이 아니라 덩굴처럼 서로 연결되어 있음을 발견한다면, 『서양미술사』가 지루하거나 버거운 책이라는 생각이 확연히 줄어든다. 한쪽이 발달하면 다른 쪽이 영향을 받는 것이야 당연한 결론이지만, 한 사회의 취향이나 지향점에 따라 온갖 분야의 예술가들이 이합집산하는

▲ 칼렘 칼프, 〈늙은 여자와 채소가 있는 마구간〉, 1644년.

▼ 조반니 바티스타 티에폴로, 〈콘트라니 저택에서 환영받는 앙리 3세〉의 부분, 1745년경.

과정이 미술의 발달을 이루었다는 관점은 눈이 번쩍 뜨이는 부분이다.

이를테면 17세기 이탈리아와 네덜란드를 곰브리치의 시선으로 비교해보자. 자본이 축적되고 시민이 등장하자 '취향'이 시작된다. 물론 취향은 지역마다 다르다. 귀족과 부유한 상인들이 대저택을 짓고 집을 꾸미느라 화가와 조각가들을 대거 영입한 이탈리아에서는 미술가들이 인테리어 디자이너의 위치에 서서 당시 건축이 추구한 시각적 환상성을 극대화하는 방식으로 기량을 펼쳤다(곰브리치는 베르니니, 가울리, 티에폴로의 작품을 연결해서 설명한다). 눈속임 그림(트롱프뢰유)이라는 유쾌한 장르가 유행했던 이유이기도 하다.

17세기 네덜란드도 집 꾸미기라면 뒤지지 않았으나, 화가들이 동참한 방식은 달랐다. 이쪽은 벽화가 아니라 액자에 넣은 그림들이었다. 그림이 돈벌이가 되자 화가들은 자신의 기량을 더욱 갈고 닦으며 전문 분야를 형성했다. 풍경이면 풍경, 정물이면 정물, 초상이면 초상 등 주력 분야가 생겨난 것이다. 이쯤 되면 그림 저변에 흐르는 서사적 상상이 피어오르는 것을 멈출 수 없다. 튤립에 미친 네덜란드인과 눈속임의 달인이 된 이탈리아인이 미치광이처럼 웃는 그림이 머릿속에 그려진다면, 곰브리치의 이야기에 호흡을 내맡긴 것이나 마찬가지다.

조각을 그대로 회화로 재현한 조토의 프레스코화 〈신앙〉이 한 페이지를 가득 채우는 부분부터 이제 본격적으로 미술가들의 이름이 등장할 채비를 한다. 그런데 미술가들의 상호관계를 나이로 정리하는 매우 독특한 서술이 눈에 띈다. 누구보다 세 살 많고 누구보다 일곱 살 어리다, 이런 식이다. 미술의 영향만큼이나 나이로도 연결되는 미술가들의 면면을 한번 살펴보자. 풍경화라는 새로운 그림을 만든 조르조네, 빛과 그림자를 자유자재로 쓰기 시작한 카라바조, 종교 개혁으로 일감이 줄어들자 영국으로 옮겨간 뒤 표현력에서 차원을 높인 홀바인, 화가 자신의 심경을 담아낸 렘브란트 등의 미술가들이 '현실성의 정복', '조화의 달성', '전통과 혁신', '권력과 영광', '이성의 시대'라는 제목을 달고 시대와 장소를 확장한다. 프랑스 아카데미즘에 저항한 사실주의자 쿠르베와 영국 아카데미즘에 저항한 라파엘전파의 로제티가 같은 문제의식에도 불구하고 지역에 따라 그림 형식이 다르게 나타난 '끝없는 변혁'부터는 손에서 책을 놓을 수 없을 정도로 흥미진진하다.

나는 곰브리치 경이 중요한 도판들을 모두 꺼내어 나열한 뒤에 그것들을 요리조리 적절히 배치하면서 이 책을 썼음을 확신하게 되었다. 그래서 곰브리치 경이 특별히 애정을 가진 작가를 도판의 개수로 확인해보기로 했다. 미켈란젤로, 라파엘로, 티치아노, 뒤러, 홀바인, 루벤스, 벨라스케스, 렘브란트, 세잔이 4컷 이상의 도

▲ 렘브란트, 〈배은망덕한 하인의 우화〉, 1655년경.

▼ 에두아르 마네, 〈발코니〉, 1868~1869년.

판을 달고 등판했다. 특별히 렘브란트와 세잔은 귀한 드로잉 도판을 꺼내 들었다. 특이한 점은 서사의 흐름을 가속화시키는 미술가들보다 흐름을 끊고 등장하는 천재들, 기존의 방식으로는 확실한 분석을 할 수 없는 미술가를 설명할 때 더 많은 페이지를 할애했는데 렘브란트, 세잔, 마네, 고흐가 그들이다.

마네의 녹색을 본 곰브리치의 이야기는 이 책을 통틀어 가장 큰 통찰을 주었다. 곰브리치에 따르면, 당시의 관습으로 녹색은 환영감과 조화로움을 깨트린다고 하여 화가들이 가장 기피한 색조였다는 것이다. 그러니 마네가 〈발코니〉에 적극적으로 녹색을 취한 것은 그 자체만으로 전복적인 행위였다. 흰색 드레스와 검은 양복을 입은 남녀 인물들을 뒤쪽으로 밀고 인물 앞에 놓인 발코니 난간에 생생한 녹색을 칠해서 존재감을 부각한 것이다. 무엇도 아닌 초록색으로 마네의 전복성이 설득력을 얻을 수 있다는 점은 미술 양식사에 대한 일반적인 접근을 뒤집는 곰브리치의 방식이다.

미술은 사실상 존재하지 않는다
시대에 따라 미술이 다른 뜻을 지니기 때문이다

그리고 고흐. 고흐를 위해 곰브리치가 선택한 그림은 〈아를의 반 고흐의 방〉이다. 그는 책에서 테오에게 보내는 편지를 그대로

빈센트 반 고흐, 〈아를의 반 고흐의 방〉, 1888년.

인용했다. "단순히 내 침실을 그리기도 했다. 오로지 색채만으로 모든 것을 그리고, 색을 단순화시켜 방 안의 모든 물건에 장엄한 양식을 부여하려고 한다. 여기서 색채로 휴식 또는 수면을 암시할 수 있을 거야. 한마디로 말해 이 그림을 보고 두뇌와 상상력이 쉴 수 있도록 말이야."(548쪽)

연보라색 벽, 노란색 의자, 다홍색 이불, 주황색 침대, 레몬색 창문. 온기가 가득한 색조는 보는 이로 하여금 휴식의 순간을 만들어주려는 고흐의 선물일지도 모른다. 화가의 감정이 고스란히 전해지도록 그리는 것, 그리고 그 감정을 담은 그림. 이 그림은 이 책에서 가장 아름답고 슬픈 그림이었다. 노란색은 이렇게 슬프고 아름다워서 기진맥진해지는 색이다.

그렇다. 우리는 슬프다. 20세기 이후 동시대 미술은 우리가 찾아 헤맨 아름다운 세계가 그 어디에도 없다고 말해서 슬프다. 너무 많은 기술, 너무 많은 매체, 너무 많은 미술가들의 시대가 되었음에도, 어떤 예술가도 아름다운 세계를 추구하지 않는다. 대체 무엇을 그려야 하는가, 라는 질문으로 되돌아온 지금의 미술가들을 향해 곰브리치는 이렇게 말한다.

"어떤 나라나 문명에서도 전통의 마지막 고리가 끊어지고 나면 미술은 결국 사멸하고 마는 것으로 알려져왔다. 그러나 어떤 식으로든 미술의 전통은 이 마지막 파멸을 모면해왔다. 낡은 임무가 사라지면 새로운 임무가 생겨나서 미술가들에게 방향감과 목적의식을 부여해주었다."(596쪽)

곰브리치가 확언한 바대로 미술이 사라진 세계는 존재하지 않을 것이다. 끊임없이 새로 짜여지고 변화하는 전통의 그물 속에서 시대의 질문과 요구를 밝히려는 미술가들이 존재하는 한.

마지막으로 역사와 이야기에 대하여 오래전 리옹 대학 미술사 학과를 다닐 때의 일을 언급하려 한다. 이는 내가 읽고 쓰는 방식에서 중요한 테마이기도 하다.

"미술사(Histoire de l'art)에 대해서 이렇게 말해보려 합니다. 미술사는 역사(histoire)이기도 하고 이야기(l'histoire)이기도 하다는 것이죠."

중세 미술 수업 첫날 니콜라 교수는 학생들에게 이렇게 말하면서 수업을 시작했다. 리옹은 중세 미술과 중세 고고학의 성과가 매우 높은 곳이었다. 그러나 학생들은 관심이 하나도 없었다.

무슈 니콜라는 학생들이 이 수업에서 어떠한 난관도 겪지 않도록 하겠다고 결심한 모양인지, 시시때때로 유머를 발사했고 시험 때는 어떤 걸 써내도 좋은 점수를 주었다. 그래서 나는 무슈 니콜라를 좋아했고 그의 명언을 지금까지도 기억하고 있다.

histoire. 그는 똑같은 단어를 썼지만, 분명 나는 한쪽에선 역사로 다른 쪽에선 이야기로 달리 이해했다. 역사와 이야기. 서로 다른 말이 이 나라에서는 하나의 단어로 쓰인다. 무슈 니콜라는 중세미술사로 적힌 시대의 모호함을 말하면서 이야기라는 단어를 언급했지만, 나는 다른 것을 생각하고 있었다. 그보다 훨씬 이전부터 훨씬 이후까지의 삶을 압축해보면 남는 것은 결국 이야기, 그것 아니겠는가.

곰브리치의
학창 시절

홍지석

　에른스트 H. 곰브리치는 『서양미술사』(1950년) 서문에서 이 책을 쓸 때 무엇보다 우선해서 염두에 둔 독자가 "자신들의 힘으로 이제 막 미술 세계를 발견한 십 대의 젊은 독자들"이라고 썼다. 그에 따르면 젊은이들은 '최고의 비평가'로서 "유식한 체하는 전문 용어의 나열이나 엉터리 감정들sentiment을 재빨리 알아내어 분개할 줄 아는" 이들이다. 이런 발언을 고려하면 어쩌면 『서양미술사』는 이제 '젊은이'라고는 할 수 없는 사십 대 중반의 나와는 맞지 않는 책일 것이다(게다가 나는 미술사 논문을 쓰고 대학에서 학생들에게 미술사를 가르친다).

　하지만 나는 미술사라는 학문을 처음 접했을 때는 물론이고 지금도 서양미술사의 전체 흐름이나 개별 작가, 작품들에 대한 '인지 지도' 같은 것이 필요할 때 이 책을 들여다본다. 그때마다 이 책의 어간과 행간에서 유익한 지적 통찰이나 자극을 얻는다. "젊은 이들을 위한 책이 성인을 위한 책과 달라야 한다고 생각하지 않는다"는 곰브리치의 말대로 이 책은 분명 '쉽고 재미있는 개론서' 그 이상이다. 저자가 "평이한 말을 사용하려고 성심껏 노력"했기 때문에 그렇게 보일 따름이다. 그럼에도 곰브리치가 굳이 이 책을 십대의 젊은 독자들을 위해 썼다고 밝힌 이유는 무엇일까?

가능한 하나의 해답은 물론 경제적인 이유이다. "십 대의 젊은 독자들을 위해 썼다"고 하면 아무래도 책은 더 잘 팔릴 테니 말이다. 실제로 곰브리치는 「자서전 스케치」(1987년)에서 '어린이를 위한 미술사'를 써달라는 출판사의 제의를 결국 받아들인 이유가 돈이 필요했기 때문이었다고 회고했다.•

당시 곰브리치가 재직하고 있던 런던 바르부르크 연구소 Warburg Institute의 동료들 가운데 일부는 그가 대중서를 쓰는 것을 못마땅한 눈길로 바라봤다. 바르부르크 연구소 소장인 프리츠 작슬Fritz Saxl은 "나는 당신이 그런 대중서를 쓰기를 바라지 않으며 연구에 전념해 그에 적절한 글을 쓰라"고까지 했다. 물론 그는 가난한 외국인 학자였고 이미 출판 계약에 얽매인 상태였기 때문에 책을 쓸 수밖에 없었다. 아무튼 그렇게 서둘러 쓴 『서양미술사』는 결과적으로 그에게 엄청난 부와 명예를 가져다줬다.

• E. H. Gombrich, "An Autobiographical Sketch," *Topics of Our Time: Twentieth-Century Issues in Learning and in Art*(London: Phaidon Press, 1991), pp. 21~22.

반 고흐 미술관에서 에라스뮈스 상을 받은 곰브리치와 그의 아내, 1975년.

하지만 어떤 인간의 행위와 발언을 경제적, 물질적 환경의 결과로 이해하는 접근은 충분히 만족스럽지 않다. 그보다 중요한 것은 한 인간의 정신적 세계관이나 심리 상태가 아닐까?『서양미술사』곳곳에서 우리는 미술 작품을 단순히 특정 시대나 사회의 경제 혹은 기술 발전의 산물로 간주하는 접근을 반대하는 저자의 목소리를 듣는다. 예컨대 13세기에 등장한 고딕 성당들은 늑재 궁륭과 첨두아치, 공중 부벽 등 당대의 첨단 기술을 기반으로 하고 있지만 "이런 교회들을 단지 공학 기술상의 업적으로만 보는 것은 잘못"이라는 것이 곰브리치의 주장이다. 고딕 성당을 다룰 때 "하늘의 영광을 대변하는" 교회를 향한 종교적 이상을 고려해야 한다는 것이다(10장).

이와 마찬가지의 이유에서 나는 "십 대의 젊은 독자들을 위해 책을 썼다"는 발언의 정신적, 심리적 계기를 들여다봐야 한다고 생각한다. 이 경우 유난히 내 눈길을 끄는 것은 곰브리치가 십 대의 젊은이들을 대하는 각별한 신뢰의 감정이다. 젊은이들은 '최고의 비평가'이며 "유식한 체하는 전문 용어의 나열이나 엉터리 감정들을 재빨리 알아내어 분개할 줄 아는" 이들이라는 발언에 내포된 신뢰의 감정 말이다. 아마도 이런 신뢰의 감정은 곰브리치 자신이 거쳐온 십 대 시절에 대한 자신감이나 자부심과 무관하지 않을 것이다. 앞서 인용한 「자서전 스케치」나 디디에 에리봉^{Didier Eribon}과의 대담집『이미지가 우리에게 들려주는 것』에 등장하는 곰브리치의 유년기, 청년기 회고에서 우리는 고향 빈에서 보낸 성장 시기에 대한 이 학자의 각별한 애정과 자부심을 확인할 수 있다.

이 글에서 나는 1909년 출생부터 빈 대학 재학 시절(1928~1933년)까지 곰브리치의 생애와 지적 여정을 들여다볼 참이다. 이러한 시도가 『서양미술사』에 다가가는 하나의 유의미한 길이 될 수 있으리라는 것이 나의 판단이다. 곰브리치가 성장기에 어떤 교육을 받았고 어떤 체험을 했는지를 살펴보는 일은 『서양미술사』를 관통하는 지식과 관점, 방법들이 형성되어가는 과정을 확인하는 작업으로서 의미가 있다. 게다가 곰브리치가 『서양미술사』라는 최고의 베스트셀러 작가일 뿐만 아니라 20세기의 가장 존경받는 미술사학자[•]라는 점을 염두에 두면 이 작업은 근대 미술사학의 전개과정을 적어도 부분적으로나마 들여다보는 흔치 않은 기회를 제공할 것이다.

[•] 곰브리치는 빈 대학 미술사학과 출신으로 프란츠 비크호프, 알로이스 리글, 막스 드보르작, 율리우스 폰 슐로서 등 빈학파의 학문적 전통을 계승, 발전시켰을 뿐만 아니라 오랜 기간 바르부르크 연구소에 재직하면서 아비 바르부르크의 지적 전통을 발전시켰다. 그의 대표작 『예술과 환영: 회화적 재현에 대한 심리학적 연구』(1960년), 『질서의 감각: 장식미술의 심리학에 관한 연구』(1979년)는 미술사를 심리학적 기반 위에서 재조명한 탁월한 연구서로 손꼽힌다. 에릭 페르니에 따르면 곰브리치는 현대 미술사학계의 중심축에 해당하는 학자이기 때문에 현재 다수의 미술사학자들은 자신의 학문적 입장을 곰브리치와 관련하여 규정하고 있다. Eric Fernie, *Art History and its Methods: A Critical Anthology*(London: Phaidon Press, 1995), p.223. 또한 유진 클라인바우어는 곰브리치를 "고대에서 현대에 이르는 시각예술과 양식사의 심층적인 이해에 실질적으로 기여한" 학자로 높이 평가했다. W. Eugene Kleinbauer, *Modern Perspectives in Western Art History: An Anthology of Twentieth-century Writings on the Visual Arts*(Toronto: University of Toronto Press, 1989), p.271. 독일 미술사학자 우도 쿨터만Udo Kultermann은 곰브리치의 연구가 "미술과 미술사학이 당대의 현실이라는 같은 뿌리에서 양분을 섭취하면서 과거의 창조적 성과들과 불가분 어울려 성장한다"는 통찰을 제시한다고 평가했다. 우도 쿨터만, 김수현 역, 『미술사의 역사』, 문예출판사. 2002년, 540~543쪽.

십 대의 곰브리치는 무엇을 읽고 보았나?

곰브리치는 1909년 오스트리아 빈의 유대계 중산층 가정에서 태어났다. 곰브리치 자신의 회고에 따르면 그의 아버지는 존경받는 변호사였으나 돈을 버는 데는 재능이 없었기에 집안 살림살이가 넉넉한 편은 아니었다. 어머니는 피아니스트였다. 1873년생인 그의 어머니는 이른바 '세기말 빈'의 분위기에서 음악가로 성장했다. 그녀는 빈 음악학교Vienna Conservatoire 재학 시절 안톤 브루크너에게 배웠고 구스타프 말러, 아널드 쇤베르크와도 잘 알고 지내는 사이였다. 어머니의 음악적 재능을 물려받은 것은 바이올리니스트로 활동한 곰브리치의 누이였으나 곰브리치 역시 「자서전 스케치」에서 자신의 성장에 음악이 적지 않은 영향을 미쳤다고 회고했다(그는 훗날 어머니의 제자인 피아니스트와 결혼했다).

곰브리치가 노년에 발표한 『질서의 감각: 장식미술의 심리학에 관한 연구』의 서문에는 유년기 그의 집안 분위기를 알려주는 흥미로운 일화가 실려 있다. 이 글에 따르면 곰브리치의 어머니는 슬로바키아 농부들의 자수를 수집하는 취미가 있었다. 만토니키Mantonicky라 불렸던 슬로바키아 상인들이 방문하는 날이면 어린 곰브리치는 어머니 옆에 찰싹 붙어 그들이 풀어놓은 조끼나 재킷, 블라우스, 모자, 리본들에 수놓인 다양한 장식들의 패턴과 색채들을 넋 놓고 바라보곤 했다. 규칙적인 반복을 통해 질서의 감각

곰브리치, 1930년경.

을 환기하면서 동시에 일탈과 파격을 끌어들여 우리의 지각이 새로운 질서를 찾게끔 유혹하는 장식 패턴에 대한 선호는 변화하는 멜로디를 따라 불변하는 것을 지각하면서 만족을 구하는 음악에 대한 애정과 짝을 이룬다.

물론 곰브리치의 장식에 대한 선호는 아르누보의 장식미술이 만개한 '세기말 빈'의 유산과도 무관하지 않을 것이다. 그는 세기말이 훨씬 지난 1909년에 태어났지만 그의 고향은 아무튼 빈이었던 것이다.『예술과 환영: 회화적 재현에 대한 심리학적 연구』와 더불어 곰브리치의 대표작으로 평가받는『질서의 감각』은 지금도 '장식미술'에 관한 가장 탁월한 연구서 가운데 하나로 손꼽힌다. 그런 의미에서『서양미술사』에서 장식미술에 관한 곰브리치의 서술을 눈여겨볼 필요가 있다. '장식'은 곰브리치의 일생에서 가장 중요한 연구 주제 가운데 하나였기 때문이다. 예컨대 "(아르누보 양식이 유행하던 시기에) 회화와 판화는 그것이 무엇을 묘사하고 있는지를 알아차릴 수 있기 전에 먼저 시각적으로 즐거운 화면 구성을 보여주어야 했다. 천천히 그러나 확실하게 이같이 장식적인 것을 추구하는 유행이 미술의 새로운 모색을 위한 길을 열어주었다. 회화나 판화 작품이 시각적인 즐거움을 줄 수만 있다면 소재나 감동적인 이야기를 전해주는 것 따위는 이제 더 이상 문제시되지 않았다"(26장) 같은 서술은 장식에 관한 곰브리치의 초기 입장을 드러낸다. 그는 훗날 이러한 입장을 발전시켜『질서의 감각』을 서술할 때 미술에서 의미의 지각뿐만 아니라 질서의 지각 역시 꽤 중요한 역할을 담당한다는 흥미로운 견해를 제시했다.

음악과 장식미술에 대한 체험 못지않게 어린 시절 곰브리치에게 큰 영향을 미친 것은 교양Bildung을 향한 부모의 열정이었다. 그의 부모는 어린 자녀들을 데리고 집 근처에 있는 미술사박물관Kunsthistorisches Museum을 자주 방문했다. 처음에는 미술사박물관보다는 자연사박물관에 가기를 고대하던 어린 곰브리치는 점차 미술사박물관의 회화 작품들을 좋아하게 됐다. 미술사 책들이 가득 꽂혀 있던 서재도 한몫했다. 가족 구성원들은 이탈리아 르네상스와 17세기 네덜란드 미술에 관한 글들을 함께 읽고 토론했다. 생일이나 크리스마스에 아이들에게 책을 선물하는 빈 중산층 가정의 관습에 따라 부모는 어린 곰브리치에게 종종 미술사 책을 선물했다. 특히 열다섯 또는 열여섯 살 즈음에 부모로부터 선물 받은 막스 드보르작Max Dvořák의 『정신사로서의 미술사 Kunstgeschichte als Geistesgeschichte』(1924년)는 곰브리치가 미술사학자의 길을 걷는 데 적지 않은 영향을 미쳤다.

『정신사로서의 미술사』는 빈 대학 미술사학과 교수였던 드보르작 사후에 그의 제자들이 유고를 묶어 출간한 저작이다. 책 제목이 말해주듯 드보르작은 "형상에 창조 과정을 부여하는 정신적인 힘들"●에 주목한 미술사가였다. 예컨대 고딕 미술은 드보르작의 해석에 따르면 물질적 경험 너머에 자리하는 중세 기독교 세

● W. Eugene Kleinbauer, Modern Perspectives in Western Art History: An Anthology of Twentieth-century Writings on the Visual Arts(Toronto: University of Toronto Press, 1989), p.398.

계관에서 유래한 것으로 그 세계관의 정신적이고 초월적인 관점을 반영한다. 드보르작은 특정 시기에 출현한 새로운 미술이란 결국 그 시대의 정신적 위기의 산물이라는 견해를 제시했다. 시대의 정신적 위기가 미술의 혁신을 촉발한다는 것이다.

이런 관점은 미술에서 물질적인 조건들에 대한 정신의 지배권을 강조하면서 '예술의욕Kunstwollen'이라는 개념을 제시한 알로이스 리글Alois Riegl의 관점과 상통한다. 리글은 드보르작 이전에 빈 대학 미술사학과에 몸담았던 미술사학자였는데 주변 세계에 대한 정신의 상태 또는 심리적 태도가 특정한 형식(또는 양식)을 낳는다고 주장했다. 이를테면 15세기 이탈리아 르네상스 미술이 '의지'를 중시하는 예술의욕의 산물이라면 동시대 북유럽 미술은 '감정'을 중시하는 예술의욕의 산물이라는 것이 그의 주장이었다.

이렇듯 미술의 정신적, 심리적 측면을 강조하는 입장에서 보자면 미술사는 발전사로 서술할 수 없다. 새로운 형식이나 양식의 출현은 새로운 예술의욕 또는 이전과 다른 정신적 힘이 주도권을 쥐게 된 것을 뜻할 것이기 때문이다. 당시(19세기 말에서 20세기 초) 빈에서는 리글, 드보르작 등 이른바 '빈학파'의 주도하에 이전에는 발전을 거스르거나 쇠퇴, 퇴폐를 뜻하는 미술로 여겨졌던 중세 미술이나 매너리즘, 바로크 미술에 대한 전면적인 재조명, 재평가가 진행됐다. 곰브리치의 말대로 빈에서는 이전에 무시되었던 양식을 복권시키려는 커다란 움직임이 있었다. 그는 이런 현상에 대해 다음과 같이 의미심장하게 진술한다.

> 우선 중세를 다시 보는 문제와 함께 시작되었고 이어서 바로크로 옮아왔습니다. 바로크는 아시다시피 무례한 양식으로 취급되었지만 점차 찬란한 것으로 간주되었습니다. 당시에도 여전히 매너리즘은 퇴폐적인 것으로 여겨졌지만 1920년대에는 현대미술의 영향하에 반고전적 미술에 새로운 관심이 집중되었지요.●

  내가 지금까지 리글과 드보르작을 다소 장황하게 서술한 것은 1928년 곰브리치가 이들이 몸담았던 빈 대학 미술사학과에 입학했기 때문이다(물론 곰브리치가 대학에 입학할 당시 리글과 드보르작은 이미 세상을 뜬 상태였다). 여기서 잠시 대학에 입학하기 전 곰브리치의 지적 여정을 들여다보기로 하자.

  「자서전 스케치」에 따르면 곰브리치는 빈의 다른 중산층 아이들과 마찬가지로 인문계 중고등학교^{Humanistisches Gymnasium}에 입학해 라틴어와 그리스어 등을 배웠다. 당시 오스트리아의 김나지움을 졸업하기 위해서는 몇 달에 걸쳐 작성한 심화 에세이^{extended essay}를 제출하는 것이 관행이었는데 곰브리치가 택한 에세이 주제는 "빙켈만에서 현대에 이르는 미술 감상의 변화"였다.

  「자서전 스케치」에서 곰브리치는 이러한 선택이 어떤 혼란 때문이었다고 회고했다. 그에 따르면 괴테의 시대였던 18세기 이후

FOCUS TABLE

62

● 에른스트 곰브리치, 디디에 에리봉, 정진국 옮김, 『이미지가 우리에게 들려주는 것: 곰브리치와의 대화』, 민음사, 1997년, 34~35쪽.

작자 미상, 〈고전적인 풍경화를 배경으로 한 요한 요하임 빙켈만의 초상〉, 1760년 이후.

빈에서는 고전^{Classic}, 곧 고대 그리스·로마 미술과 이탈리아 르네상스 미술이 널리 사랑받았다. 당시 빈에는 이탈리아로 여행을 떠나 자신이 숭배하는 작품들을 실제로 보고 싶어 하는 이들이 많았다고 한다. 하지만 곰브리치가 『정신사로서의 미술사』 등 책에서 접한 당대의 미술사 연구 경향은 이러한 현실과 사뭇 달랐다. 여기서 그가 말하는 미술사 연구 경향이란 중세(특히 후기 고딕) 미술, 그뤼네발트, 15세기 후기의 목판화들처럼 고전으로 분류할 수 없는 미술에 특별히 주목하는 경향을 뜻한다. 이렇듯 자신이 목격한 고전/반^{反}고전을 둘러싼 대립을 이해하기 위해 십 대의 곰

마티아스 그뤼네발트, 〈이젠하임 제단화〉, 1509~1515년.

브리치는 "빙켈만의 시대로부터 낭만주의로 낭만주의에서 실증주의로 그리고 실증주의로부터 막스 드보르작의 시대까지" 예술 감상의 변화를 살펴봐야 했다.

　이렇듯 곰브리치가 십 대에 혼란을 느끼며 탐구했던 고전/반고전의 대립이 사십 대 초반에 발표한 『서양미술사』에서도 여전히 유의미한 문제로 남아 있다는 점은 흥미롭다. 예를 들어 "북유럽과 이탈리아의 미술은 오랫동안 중요한 차이를 보여왔다. 물건이나 꽃, 보석 또는 천의 아름다운 표면을 묘사하는 데 뛰어난 작품들은 대개 북유럽 화가, 특히 네덜란드의 화가가 그린 것이고, 반

면에 대담한 윤곽선과 원근법이 명확하며 인체의 아름다움을 확실하게 파악한 그림은 이탈리아 화가의 작품으로 보아도 무방할 것이다"(12장)라거나 "이탈리아 미술에 비해서 이상적인 조화와 아름다움을 성취하는 데 관심을 적게 가졌던 북유럽의 미술은 이런 종류의 표현법을 더 선호하게 되었던 것이다"(14장) 또는 "그뤼네발트에게 있어서 미술은 (이탈리아 미술에서처럼) 아름다움의 숨겨진 법칙을 찾는 데 있는 것이 아니라 오직 하나의 목적, 즉 중세의 모든 종교 미술의 목적인 그림으로 설교를 제공해주고 교회가 가르친 진리를 선포하는 것이었다"(17장)와 같은 서술은 '고귀한 단순과 고요한 위대'(빙켈만)를 추구한 고전적 미술과 '무한한 인내력과 주의력'이 돋보이는 반고전적 미술 사이에서 혼란과 동시에 감동을 느끼는 미술사학자의 면모를 유감없이 드러낸다.

어떤 의미에서 『서양미술사』의 저자는 고대 그리스·로마와 이탈리아 르네상스 미술을 사랑한 평범한 빈 사람의 취향과 중세와 매너리즘, 바로크를 중시한 빈학파의 지적 경향을 동시에 겸비한 사람이었다고 해야 하지 않을까? 그는 이 가운데 어느 한쪽의 편을 들 수 없었다. 실제로 『서양미술사』에서는 좀처럼 '발전'이나 '쇠퇴' 같은 단어를 찾을 수가 없다. 그도 그럴 것이 『서양미술사』의 저자는 "끊임없는 변화를 하나의 연속적인 진보로 보는 견해"를 경계하면서 "한 가지 방향에서의 득이나 진보가 다른 방향에서의 손실을 수반한다는 사실"(서문)을 인정하는 미술사학자였던

곰브리치의 스승들

막스 드보르작

알로이스 리글

요제프 슈트르치고프스키

율리우스 폰 슐로서

것이다.

다시 십 대의 곰브리치로 돌아오기로 하자. 이 젊은이는 "내 주
변의 빈 사람들은 거의 고전적인 미술을 사랑하는데 왜 빈의 미
술사학자들은 반고전적인 미술에 주목할까?"라는 물음에서 에
세이를 작성했다. 이는 당시의 곰브리치가 이미 빈학파의 문제의
식 안에서 사고하고 있었다는 것을 보여준다. 이 학파의 정신적 리
더였던 알로이스 리글은 "왜 당대의 빈 미술사학자들은 이탈리아
르네상스를 편애하면서 그와는 다른 형식(양식)의 미술을 무시하
거나 혐오하는가?"라는 문제의식에서 예술의욕을 강조하는 새
로운 미술사 방법론을 제시했다. 아무튼 곰브리치는 에세이를 마
치고 "예술은 과거의 놀라운 열쇠"라는 막스 드보르작의 주장을
마음에 새기며 빈 대학 미술사학과에 입학했다.

대학 시절 곰브리치가 참여한
중요한 세 개의 세미나

곰브리치가 빈 대학 미술사학과에 입학했던 1928년 당시 빈학
파는 내분에 휩싸여 있었다. 1909년 빈 대학 교수로 부임한 요제
프 슈트르치고프스키Josef Strzygowski는 같은 해에 이 대학에 부
임한 막스 드보르작, 그리고 드보르작 사망 후 그의 후임으로 빈

대학에 부임한 율리우스 폰 슐로서Julius von Schlosser와 극단적으로 반목했다. 교수들이 서로 앙숙이 되어 다투자 학생들은 어느 한 쪽을 택해야 했다. 두 교수의 강의를 동시에 수강하는 일은 사실상 불가능했다. 막 입학한 곰브리치는 이 가운데 율리우스 폰 슐로서 교수의 편에 섰다. 「자서전 스케치」에서 곰브리치는 요제프 슈트르치고프스키에 대해 이렇게 썼다.

> 요제프 슈트르치고프스키는 매우 흥미로운 인물이었다. 그는 강의에서 일종의 선동가였다. 그는 글로벌 예술과 이민자들의 초원 미술을 강조했다. 그것은 어떤 면에서는 반예술anti-art의 초기 표현주의 버전이었다. 그는 이른바 '권력의 예술Machtkunst'을 증오했고 예술에 대한 완전한 재평가를 원했다. 그에게 중요했던 것은 석조 건축이 아니라 목재 건축, 텐트 제작과 같은 수공예였다. 나는 슈트르치고프스키의 강의에 들어갔으나 그가 매우 이기적이고 자만심이 강한 사람이라는 것을 발견했다. 나는 결국 그의 접근법에 등을 돌렸다.•

곰브리치의 회고는 그가 자신의 스승인 슐로서에게 물려받은 어떤 적개심을 드러낸다. 하지만 또 다른 빈학파의 거장인 다고베르트 프라이Dagobert Frey는 슈트르치고프스키가 세세한 점들에서 오류가 많았다고 평가하면서도 그를 오리엔트 미술과 북유럽 미술로 미술사 연구의 지평을 확장시킨 비교예술학의 창시자로 인정

• E. H. Gombrich, "An Autobiographical Sketch," p.14.

했다.♦ 슈트르치고프스키는 오리엔트, 아르메니아, 페르시아, 러시아, 중국 미술을 새로운 눈으로 보았고, 이들을 잘 알려진 서양 미술과 관련지어 설명했다. 이러한 그의 접근법은 국제적인 명성을 얻었고, 오늘날 미술사학자들은 슈트르치고프스키와 그의 후예들—이를테면 오스카르 불프Oskar Wulff, 오몬드 매독 돌턴Ormonde Maddock Dalton, 에른스트 디에즈Ernst Diez, 찰스 루퍼스 모리Charles Rufus Morey 등—을 그가 적대시했던 알로이스 리글, 막스 드보르작 일파와 함께 빈학파의 양 갈래로 인정하고 있다.▲ 디디에 에리봉과의 대담에서 곰브리치는 이렇게 말했다.

> 슈트르치고프스키는 로마 미술을 광적으로 혐오했고 오직 유랑민들의 미술만이 창조적이었다고 생각했습니다. 다소 정신이 나간 사람이었지요. 하지만 그는 당시까지 전적으로 무시되었던 또 다른 문화의 전통들을 섭렵하면서, 이를테면 아르메니아 미술 같은 것을 말이지요, 독창적인 연구를 해냈습니다.♣

교수들의 반목은 학생들에게 나쁜 영향을 미치기 마련이다. 나는 곰브리치 역시 예외가 아니었다고 생각한다. 『서양미술사』는 분명 훌륭한 저작이지만 여러 문제점도 지니고 있다. 무엇보다 이

♦ 우도 쿨터만, 김수현 역, 『미술사의 역사』, 396쪽.

▲ W. Eugene Kleinbauer, *Modern Perspectives in Western Art History: An Anthology of Twentieth-century Writings on the Visual Arts*, p.23.

♣ 에른스트 곰브리치, 디디에 에리봉, 정진국 옮김, 『이미지가 우리에게 들려주는 것: 곰브리치와의 대화』, 30~31쪽.

책은 지나치게 서유럽 중심의 관점을 취하고 있다. "서유럽이 초역사적 지위를 누리는 정전을 가져야 한다고 믿는 자들"을 '문화제국주의자'로 비판했던 슈트르치고프스키의 문제의식에서 이 책 역시 자유롭지 않다는 것이다. 곰브리치가 슈트르치고프스키의 강의를 열심히 들었다면 『서양미술사』 7장 '동방의 미술'이 지금처럼 뜬금없어 보이지는 않았을지 모른다.

곰브리치가 슈트르치고프스키 대신 자신의 스승으로 선택한 율리우스 폰 슐로서는 슈트르치고프스키가 사실상 배제했던 문헌학의 강자였다. 우도 쿨터만은 슐로서의 중요한 업적으로 "미술사학에서 문헌 연구의 부활"을 꼽기도 했다. 슐로서가 집필한 『미술 문헌Die Kunstliteratur』(1924년)을 곰브리치는 「자서전 스케치」에서 "지금까지도 고대로부터 18세기까지 미술에 관한 저작들 중 가장 뛰어난 연구"로 평가했다. 흥미로운 것은 곰브리치가 자기 스승의 학문적 역량을 인정하면서도 그의 강의에 대해서는 꽤 인색한 평가를 내렸다는 점이다. 슐로서의 강의는 거의 독백과 같은 것이었고 학생들은 쏟아지는 졸음을 참기 위해 애써야 했다는 것이다. 하지만 곰브리치는 스승이 주도한 세미나에 대해서는 아주 긍정적으로 평가했다.

대학 재학 시절 곰브리치는 슐로서가 주도한 세 가지 세미나에 참석했다. 하나는 조르조 바사리의 『미술가 열전』(1550년) 읽기 세미나였다. 세미나에 참석한 학생들은 바사리가 쓴 '화가들의 생애' 가운데 하나를 택해 사료와 모든 관련 측면들을 연관 지어 분석한 결과물을 발표해야 했다. 슐로서의 제자들은 무조건 이탈리아 미술가들을 알아야 했다. 곰브리치에 따르면 "슐로서 앞에서 바사리의 원문을 읽지 못하는 것은 상상조차 할 수 없는 일"이었던 것이다. 곰브리치가 쓴 『서양미술사』의 이탈리아 르네상스를 다룬 장들에서 바사리의 영향을 발견하는 것은 전혀 어려운 일이 아니다. 미켈란젤로와 라파엘로를 무한 찬양하는 『서양미술사』의 저자는 과거 슐로서의 『미술가 열전』 읽기 세미나에 참여해 미켈란젤로와 라파엘로를 열렬히 예찬하는 바사리의 저작을 탐독했던 똑똑한 학생이었던 것이다.

한편 곰브리치는 슐로서가 이끈 미술관 세미나에도 참석했다. 빈 대학 교수와 빈 미술사박물관 응용미술부 디렉터를 겸직했던 슐로서는 2주에 한 번 박물관에서 학생들과 만났다. 박물관의 소장 작품들 앞에서 스승은 학생들에게 질문을 던졌다. 상아나 청동으로 만든 공예 작품들을 보여준 다음 "이 작품을 어떻게 만들었을까?"라고 묻거나 "그에 관해 너는 어떻게 생각하느냐?"고 묻는 식이다. 문제 해결을 맡은 학생은 리포트를 작성해 세미나에서 발표했다. 학생들이 긴 시간을 들여(정확히는 "질질 시간을 끌며") 공들여 작성한 리포트에 슐로서는 관심이 많았다.

곰브리치가 처음 선택한 작품은 성 그레고리의 저술을 재현한 카롤링거 시대(9세기)의 상아제 책 표지였다. 이때 곰브리치가 발

◀ 성 그레고리가 집필하는 모습이 담긴 상아제 책 표지, 850~1000년.
▶ 바쿠스와 아리아드네의 모습이 담긴 상아 보석함, 5세기.

표한 리포트가 썩 마음에 들었던지 슐로서는 그 이듬해에 곰브
리치에게 상아로 만든 보석함^{pyxis}을 리포트 주제로 제시했다. 당
시 이 작품은 '후기 고대'로 일컬어지는 6세기에 제작된 것으로
알려져 있었지만 곰브리치는 조사 연구를 진행하면서 도상이나
형식 면에서 그것을 6세기의 작품으로 볼 수 없고, 후기 고대의
작품을 카롤링거 시대에 복제한 작품으로 보는 것이 적절하다
는 결론에 도달했다. 곰브리치의 발표를 들은 슐로서는 그의 리
포트를 칭찬했다. 여기서 더 나아가 스승은 제자에게 "이 글을

논문집(빈 미술사박물관 연감)에 발표하는 것이 어떻겠냐"고 제안했다.

현재의 관점에서 보아도 슐로서의 미술관 세미나는 '문제 해결'을 중심으로 진행하는 미술사 교육의 훌륭한 모델이다. 세미나에 참석한 학생들을 동료 연구자로 인정했던 슐로서의 태도도 주목할 만하다. 물론 학부와 대학원의 구별이 명확하지 않았던 당시의 상황을 고려해야 하지만 말이다.

곰브리치는 「자서전 스케치」에서 슐로서의 미술관 세미나를 예찬했다. "학생들을 어엿한 성인이자 동료로 인정"하면서 그들의 성과를 매우 진지하게 고려하는 학문 풍토에서 훌륭한 미술사학자들이 성공할 수 있었다는 것이다. 곰브리치의 상아 보석함 연구는 수정, 보완을 거쳐 그가 대학을 졸업한 1933년에 발표됐다. 그것은 곰브리치가 발표한 최초의 논문이었다. 이 논문을 완성하는 과정에서 곰브리치는 슐로서의 제자로 당시 빈 미술사박물관에 재직하고 있던 에른스트 크리스^{Ernst Kris}를 만나 도움을 받았다. 크리스는 지그문트 프로이트 서클의 일원으로 정신분석학과 미술사의 결합을 추구했는데, 그와의 교유는 곰브리치의 지적 성장에 큰 영향을 미쳤다(크리스는 대학을 졸업한 뒤인 1936년, 곰브리치가 나치가 횡행하는 오스트리아를 떠나 런던의 바르부르크 연구소에 취직하는 데도 큰 도움을 주었다).

다시 슐로서의 세미나로 돌아오기로 하자. 곰브리치가 가장 애정을 갖고 참여했던 슐로서의 세 번째 세미나는 이론적 문제를 다루는 세미나였다. 거의 매주 한 번씩 세미나 성원들이 모여 미술사의 문제들을 검토하고 토론했다. 곰브리치는 중세(14세기) 독일에서 만들어진 최고最古의 법령서인 『작센 법전Sachsenspiegel』에 나타난 법적인 업무 수행의 몸짓과 의례들에 관해 발표했다. 이는 곰브리치가 몸짓을 통한 커뮤니케이션에 관심을 갖는 계기가 됐다. 곰브리치가 자원해서 발표했던 또 다른 주제는 알로이스 리글의 『양식 문제Stilfragen』(1893년)였다. 『양식 문제』는 흔히 팔메트 패턴이라고 부르는 아칸서스 장식 모티프의 발생과 변천에 관한 연구서로 훗날 곰브리치가 『질서의 감각』에서 장식 문제를 다룰 때 결정적인 영향을 미친 리글의 초기 대표작이다. 물론 곰브리치가 리글의 저작에 관해 발표하면서 얻은 것은 '장식'에 관한 리글의 문제의식과 접근 방법을 익히는 것 그 이상이었다. 어떤 학파의 거장이 주도하는 세미나에서 또 다른 학파의 거장이 쓴 텍스트를 발표하고 그것에 관해 세미나 구성원들이 서로 의견을 주고받는다는 것은 발표 대상이 된 학파의 세계관을 나름대로 체화하는 과정이나 마찬가지였다. 곰브리치는 세미나의 의미를 이렇게 회고했다.

슐로서의 세미나에 참석한 학생들은 많지 않았다. 세미나는 소수의 긴밀히 연결된 공동체였다. 세미나의 성원들은 하루 내내 그들의 동료들과

다양한 팔메트 패턴. 프란츠 마이어Franz Meyer의
『장식 핸드북A Handbook of Ornament』에 실린 일러스트, 1898년.

자신의 주제들에 관해 이야기를 나누었다. 그들은 나에게 단서를 주었고
또 나는 그들에게 단서를 주었다. 우리 모두는 상대방의 주제에 관해 많은
것을 배웠다. 이것이 바로 우리가 미술사를 학습하는 형식이었다. 강의는
그다지 중요하지 않았다. 세미나가 훨씬 중요했다.●

● E. H. Gombrich, "An Autobiographical Sketch," pp.16~17. 곰브리치는 대학 시절 슐로서
외에도 스보보다Karl Maria Swoboda, 티체Hans Tietze 등이 이끈 세미나에 참여했다.

박사 학위, 그리고 그 후

곰브리치는 5년간의 대학 시절을 마감할 박사 학위 논문 작성에 착수했다. 대학에 다니는 동안 곰브리치는 몇 차례 이탈리아를 방문했는데(빈은 이탈리아에서 매우 가깝다!) 그중 만토바에서 만난 '팔라초 테Palazzo Te'라는 기이한 건축물이 그의 지적 호기심을 자극했다. 건물을 설계한 줄리오 로마노Giulio Romano는 라파엘로의 제자였는데 매너리즘이 유행했던 시기에 살았다. 매너리즘은 주지하다시피 빈학파의 최고 관심사였다. 빈학파의 막스 드보르작과 그의 후예들은 16세기의 매너리즘 미술을 "르네상스의 거대한 정신적 위기의 표현"으로 이해하는 학설을 발전시켜 나갔던 것이다. 곰브리치가 아쉽게 여겼던 것은 기존의 매너리즘 연구가 주로 회화를 중심으로 진행됐다는 점이다. 따라서 곰브리치는 줄리오 로마노의 건축물을 통해 매너리즘 연구를 건축으로 확장하고자 마음먹었다. 스승의 동의하에 그는 만토바에 머물며 "매너리즘이 과연 건축에도 존재했는가?"의 문제를 탐구했고 마침내 줄리오 로마노의 팔라초 테를 "매너리즘 특유의 정신적인 게임과 환상을 구현한" 매너리즘 건축 양식으로 규정할 수 있었다. 박사 논문을 완성한 후에 곰브리치는 르네상스 건축을 전공한 미술사학자로 인정받게 됐고 그의 연구로 인해 팔라초 테는 매너리즘 건축을 대표하는 건축물로 유명해졌다.

줄리오 로마노가 건축한 〈팔라초 테〉, 1524~1534년, 만토바.

하지만 「자서전 스케치」에서 곰브리치는 박사 학위 논문을 쓰는 과정에서 점차 막스 드보르작으로부터 배운 바와 거리를 두게 됐노라고 회고했다. 매너리즘을 어떤 거대한 위기의 표현으로 간주하는 접근에 회의를 품게 된 것이다. 줄리오 로마노에게 팔라초 테 건축을 의뢰한 곤차가 가문 사람들이 주고받은 편지를 읽으면서 그들이 '시대'가 아니라 그저 '인간'임을 느꼈고 그들이 거대한 정신적 위기를 이끌어나갔다는 식의 주장 역시 의심하게 됐다고 곰브리치는 썼다. 그의 말대로 "미술은 시대의 표현"이라는 견해는 어쩌면 상투적인 해석을 유발하는 클리셰일 수 있는 것이다.

실제로 곰브리치는 대학을 졸업한 후에는 빈학파와 일정한 거리를 두고 자신의 연구를 진행했다. 그는 분명 빈학파가 길러낸 학자였지만 빈학파에 귀속되기에는 뭣한 자신만의 독특한 관점을 발전시켜 나갔다. 훗날 곰브리치는 『예술과 환영』, 『질서의 감각』 등의 저작에서 칼 포퍼Karl Popper에게서 가져온 '마음의 탐조등 이론Searchlight Theory of Mind'의 관점을 채택한다. 마음의 탐조등 이론은 주어진 현실에 응하여 마음이 도식을 설정하고 그것을 다시 현실에 맞게 수정하는 '탐색 과정'을 강조한다. 말하자면 현상을 파악하기 위해서는 어떤 이론적 틀이나 관점을 적용할 수 있지만 그러한 틀이나 관점이 그 현상과 맞지 않는다면 언제든 변경, 수정해야 한다는 것이다. 물론 이 경우 최초에 그가 적용했던 틀과 관점은 매우 중요하다. 인간은 백지 상태에서 시작할 수 없기 때문이다.

곰브리치의 경우 그의 학문적 출발점은 빈학파였고 그는 거기에서 출발해 끊임없이 그것을 변경, 수정해가면서 미술 작품을 해명하는 자신만의 관점을 구축/재구축해 나갔다고 할 수 있다. 그 과정을 확인하려면 다시금 나는 곰브리치가 대학을 졸업한 후에 거쳐 간 그의 지적 여정을 돌아봐야 한다. 이 작업은 지금까지의 탐색보다 훨씬 어려운데 왜냐하면 지적 탐구의 깊이와 범위가 훨씬 확장되기 때문이다.

따라서 이 글은 이쯤에서 마무리하는 것이 좋을 것이다. 마무리 멘트는 「자서전 스케치」의 마지막 구절로 대신하는 것이 어떨

까? 나는 이 구절이 곰브리치의 지적 여정을 압축해서 보여준다
고 생각하기 때문이다.

일단 어떤 주제가 하나의 형식에 고착되면 그것을 다시금 들끓게 하고,
해체하여 다른 종류의 장chapter으로 넘기기가 쉽지 않게 된다. 하지만 나
는 최선을 다해서 그렇게 했다.*

* E. H. Gombrich, "An Autobiographical Sketch," p.24.

입문서로서의『서양미술사』, 입문서 저자로서의 곰브리치

이연식

　출간된 지 70년이 넘은 곰브리치의『서양미술사』는 가장 많이 팔린 책이고 지금도 가장 많이 팔리고 있는 책이다. 하지만『서양미술사』를 사들인 사람 중에서 이걸 다 읽은 사람의 비율은 어느 정도일까?

　적어도 한국에서『서양미술사』는 어렵고 까다로운 책으로 여겨진다. 대부분 조금 읽다가는 나중에 언젠가 읽겠지, 하며 책장에 모셔둔다. 앞쪽을 조금 읽다가 포기한다. 이건 곰브리치만의 탓은 아니다. 미술사 입문서는 선사 시대 미술, 메소포타미아와 이집트 미술로 시작하게 되는데, 이 대목이 흥미를 끌기 어렵기 때문이다. 일단 시대적으로 앞쪽에 배치된 미술은 독자들이 감정을 이입할 대상도 없고, 시각적으로도 화려하지 않다.

고대 그리스와 로마 미술은 좀 흥미로워지지만 이런 좋은 시절을 떠나보내고 기독교 중심의 중세 미술로 접어들면 또 지루해진다. 마침내 르네상스 미술이 등장한다. 여기까지 버틸 수만 있다면 그 뒤로는 흥미로워진다. 바로크, 로코코, 신고전주의, 낭만주의, 사실주의, 인상주의로 이어지는 대목은 즐겁다. 반 고흐와 고갱이 등장할 때까지 아주 잘 읽힌다.

서양미술사에 대한 강의를 진행하면서 나는 전공자로서, 혹은 개인적인 취향 때문에 청중 일반과 좀 다른 입장을 확인하게 된다. 나는 개인적으로 중세 미술을 좋아하기 때문에 중세 미술에 대해 나름 상세한 강의를 만들곤 하는데, 정작 청중의 반응은 썩 좋지 않다. 또 선사 시대 미술을 다룬 강의에 대한 반응도 미적지근하다. 생소한 걸 감안해 갖은 공을 들여서 입체적으로 강의를 만들어봐도 그렇다. 반면 르네상스 이후에 대해 강의할 경우는 대표작 몇 점만 걸어놓아도 반응이 확연히 다르다.

청중은 르네상스 미술이 나와야 '안심'하는 것 같다. 붙잡을 것이 있기 때문이다. 르네상스에 이르면 친근한 이름들이 등장한다. 또 르네상스 이후의 미술이 직접적으로 와닿고 알아보기도 쉽다. 여러 시대와 사조의 미술 속에서도 형식이 명료하고 사실적인 미술이 인기가 있다. 사실 가장 인기 있는 사조라면 인상주의 미술이겠지만, 인상주의가 갑자기 등장하면 이 또한 받아들이기 어렵다. 인상주의라는 친숙하고도 현대적인 사조가 등장하기까지의 과정을 밝혀주는 게 필요하다.

이런 경험을 바탕으로 나는 『서양미술사 산책』이라는 입문서를 쓰면서 아예 르네상스 미술을 책의 시작으로 삼는 구성을 취했다. 하지만 그 책에 대한 시장의 반응은 신통치 않았다. 적어도 독자들이 접근하기 좋은 구성이라는 게, 정작 독자들에게는 그리 중요하지 않다는 걸 새삼 확인할 수 있었다. 이건 곰브리치의 『서양미술사』가 구성에 심각한 결함이 있음에도 줄곧 여전히 잘 팔리는 것만 봐도 알 수 있다.

미술사 입문서로는 한편으로 읽기 편하고 한편으로 마음을 어루만지는 책도 중요하지만, 그런 여러 갈래의 흐름 속에서도 『서양미술사』는 굳건한 공통분모처럼 자리 잡고 있다. 권위가 있기 때문이다.

곰브리치의 책은 여러 방향에서 여러 층위의 비판을 받아왔다. 일단 곰브리치의 시각이 편협하다는 것이다. 곰브리치는 미술사를 예술가들의 역사로 만들어 쓰면서 서구 백인 남성 위주로 인물들을 구성했다는 비판을 피할 수 없었다. 그리고 곰브리치의 구성과 서술에 담긴 모순도 지적을 받는다.

그런데 이는 곰브리치뿐만이 아니라 미술사 입문서가 일반적으로 맞닥뜨리는 문제이다. 특정 지역이나 사조, 성별의 예술을 제대로 다루지 않았다는 결함을 메우기 위해 여태까지와는 다른 방향을 채워가는 작업이 계속 진행되고 있지만, 무한한 시간과 공간 속에서 한정된 예술가와 예술 작품을 뽑아내어 소개하는 방식은 그 출발점부터 누군가를, 무언가를, 어딘가를 소외시킬 수밖에 없다. 곰브리치를 비판하면서도 곰브리치 이후에 나온 미술사 입문서들 또한 곰브리치가 지닌 여러 문제를 조금씩 다듬는 정도로 그칠 수밖에 없다. 미술사에 대한 서술은 어떠해야 하고 입문자를 위한 책은 어떠해야 하는지, 근본적인 물음을 던져봐야 한다.

착한 입문서의 힘

곰브리치의 『서양미술사』를 찬찬히 읽어보면, 이 책은 매우 '착한 책'이다. 날선 질타는 찾아보기 어렵다. 책 전체가 구석구석마다 배려와 고려로 가득하다. 중세 유럽의 미술, 유럽 바깥의 미술, 20세기의 추상 미술을 비롯해 과거의 관념이나 미감으로는 받아들이기 어려운 낯설고 새롭고 파격적인, 일반적으로 경시되거나 폄하되어왔던 사조와 작품에 대해 저자는 강력히 변호한다.

곰브리치는 세상의 온갖 예술 활동에 대해 온당하게 대하자고 한다. 다소 낯설거나 조악해 보인대도 곧바로 가치 판단을 내리지 말고 열린 마음으로 보라고 한다.

이걸 조금 다른 방향에서 생각해보자면 이렇다. 마치 현대인의 대화와 소통에 대한 책들에서 자주 나오는 말과 비슷하다. 섣불리 판단하지 말고, 곧바로 반응하지 말고, 마음에 여유를 갖고 조금만 시간을 두고 판단하라. 불필요한 오해와 파괴적인 충돌을 피하고 마음의 평화를 얻을 수 있을 것이다.

좋은 말씀들이다. 하지만 곰브리치처럼 영향력 있는 저자가 세상에서 가장 유명한 미술사 입문서에서 이렇게도 열심히, 거듭, 인식의 교정을 요구했다면 그간 어느 정도는 사태를 개선했어야 마땅한 게 아닐까?

하지만 미술사에 대한 대중의 인식은 곰브리치의 책이 막 나왔을 무렵이나 지금이나 그다지 달라지지 않았다. 사실 인류 최대의 베스트셀러인 성경에도 "원수를 사랑하라"거나 "왼뺨을 맞으면 오른뺨을 내밀라" 같은 좋은 말이 실려 있지만 세상이 평화롭지 않은 판에 온후한 학자 곰브리치의 신중한 언사가 잘 먹힐 리 없다.

다시 한 번 강조하자면, 곰브리치는 곧잘 보수적이고 권위적인 학문의 세계를 대변하는 존재처럼 다루어지지만 곰브리치 개인은 포용과 배려를 중시했다. 거꾸로 말하자면, 거대한 체계 속의 개인이 강조하는 포용과 배려라는 가치는 힘이 미약해 보인다.

끝없이 새로 쓰는 미술사

곰브리치에 대한 여러 비판과는 별개로, 나는 저술가로서의 곰브리치가 흥미로웠다. 생각이 어떻든 글로 써야 책이 만들어진다. 저자로서 곰브리치가 취한 태도는 묘하게도 무심하고 속 편해 보인다.

『서양미술사』의 각 장은 해당 시대의 건축에 대한 언급으로 시작한다. 당연하게도 건축물에 대한 사진이 맨 앞에 실린다. 회화나 조각처럼 친숙한 작품으로 시작하지 않기 때문에 독자에게 좀 어려운 과제를 주는 느낌이다. 곰브리치는 회화나 조각에 비해 건축이 경시되기 쉽기에 건축을 맨 먼저 다루겠다고 했다. 경시되지 않도록 맨 먼저 다루다니! 흥미로운 발상이지만 뭔가 석연치 않다. 맛없는 음식을 먼저 먹고 치우려는 것 같은 느낌이다.

『서양미술사』는 판을 거듭했다. 당연히 많은 수정이 가해졌겠지만, 이 책은 구석구석을 쑤셔서 다시 엮기보다는 더하고 덧대어온 것처럼 보인다. 이 책에는 미술사에서 흔히 지표로 삼는 작품들이 의외로 적게 담겼다. 출간 초기에 손 닿는 대로 도판을 구성했기 때문일 것이다. 그렇다면 나중에 도판을 바꿔야 했겠지만 그러지 않았다. 도판을 바꾼다면 거기에 딸린 글들까지 모두 바꿔야 했기 때문일 것이다. 곰브리치는 바꾸기보다는 덧씌우는 방향으로 갔다. 이 경우 덧대어진 흔적을 지우려는 게 일반적인

데, 곰브리치는 자신이 이 책을 군데군데 수술해서 전체적으로 고치는 대신에 새로 알게 된 걸 척척 쌓아 올리듯이 썼다는 걸 전혀 숨기지 않았다. 오히려 그 점이 이 책의 독특한 매력이 되었다.

이 책의 나머지 부분은 시간 순서와 역사의 추이에 따라 구성되었지만, 서론과 마지막 장은 그렇지 않다. 서론은 총론이라 쳐도 되겠지만, 마지막 장은 보기에 따라 무척 엉뚱하다. 맨 나중의 예술, 그러니까 현대의 첨단 예술이 아니라 맨 나중에 발견된 미술품에 대해 언급하고 있기 때문이다.

미술사 입문서의 맨 마지막 장이라면 지금 현재의 미술, 적어도 저자가 다룰 수 있는 사조 중에서 현재 시점과 가장 가까운 미술을 담는다. 바꿔 말해 맨 마지막 장은 맨 나중에 출현한 미술을 다룬다. 그런데 곰브리치는 맨 나중에 '발견된' 미술을 다루었다.

그리고 이를 통해 뜻밖에도 '미술사'가 드러났다. 미술사는 고정된 것이 아니라 예술의 역사, 예술가들의 이야기와 함께 성장하고 변화해온 것이다. 18세기에 폼페이가 본격적으로 발굴되면서 유럽인들은 고대 그리스와 로마의 회화에 대해 비로소 알게 되었다. 만약 곰브리치가 18세기 사람이었다면, 그리고 그 시절에 서양미술사에 대한 입문서를 쓰겠다고 생각했다면 당연하게도 고대 이집트와 그리스, 로마에 대해 할 말이 거의 없었을 것이며, 설화나 소문을 바탕 삼아 근거가 박약한 이론을 전개할 수밖에 없었을 것이다.

◀ 1972년에 발견된 〈리아체의 전사〉.
▶ 〈유다의 왕들〉. 파리 노트르담 성당 서쪽 파사드에 있었으나 프랑스 혁명 기간 동안 파괴
되어 사라졌다. 1977년 28개 중 21개의 석상들이 발견되었고, 현재는 클루니 중세박물관에
소장되어 있다. 곰브리치의 저서 『서양미술사』의 마지막 도판이다.

    20세기 사람 곰브리치는 고대 그리스의 조각과 건축물에 애초
에 울긋불긋한 색이 칠해졌다는 걸 미리 알았기에 19세기 사람 로
댕처럼 뒤늦게 충격을 받지 않아도 되었다. 또 곰브리치는 1970년
대에 바다에서 건져 올린 그리스의 청동상을 볼 수 있었고, 1980년
대에 시스티나 예배당의 천장화와 제단화가 대대적인 수복 작업
을 거쳐 색이 확 바뀐 걸 볼 수 있었다. 1990년대에 발견된, 라스코
와 알타미라의 동굴보다 훨씬 오래된 프랑스의 쇼베 동굴에 담긴

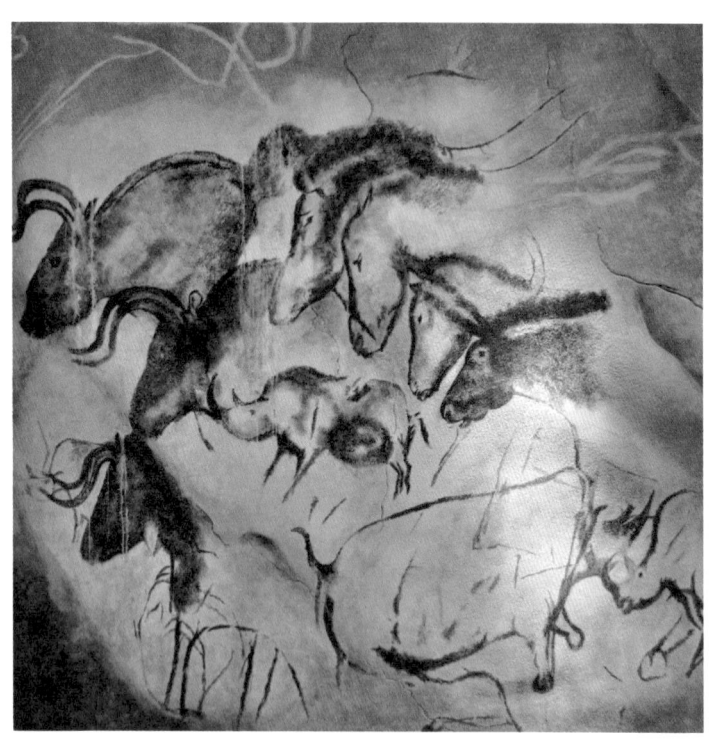

1994년에 발견된 쇼베 동굴. 야생 들소와 코뿔소가 그려져 있다.

선사 시대 예술가들의 놀라운 작업도 확인할 수 있었다. 요한 요하임 빙켈만이나 월터 페이터 같은 선배 저술가들의 편벽하고 한정된 경험과는 비할 바 없는 것이었다.

과거에 대한 지식은 근래 들어 급격히 늘었고, 이런 추세라면 갈수록 더욱 늘 것이다. 옛 미술품은 더욱더 많이 새로이 등장할 것이다. 그러자면 미술사 입문서의 마지막 장은 결국 곰브리치의 책과 같은 모습이 될 수밖에 없다. 새로이 발견된 과거는 새로이 구성해야 하고 미술사는 끝없이 새로 쓰여야 한다는 걸 곰브리치는 이로써 보여주었다.

이연식

서울대학교 미술대학에서 서양화를 전공하고, 한국예술종합학교 예술전문사 과정에서 미술이론을 공부했다. 미술사가로 예술에 대한 저술, 번역, 강연 활동을 하고 있다. 지은 책으로는 『유혹하는 그림, 우키요에』, 『이연식의 서양 미술사 산책』, 『뒷모습』, 『드가』 등이 있고, 옮긴 책으로는 『무서운 그림』, 『컬러 오브 아트』, 『그림을 보는 기술』, 『뮤지엄 오브 로스트 아트』 등이 있다.

1950년 최초의 하드커버 에디션

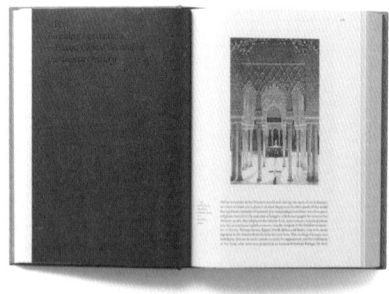

2016년 럭셔리 에디션

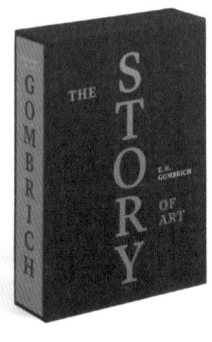

영국 파이돈 출판사에서 출간된 곰브리치의 『서양미술사』 에디션.

2007년 페이퍼백 에디션

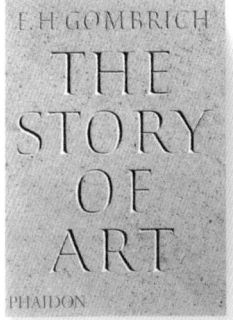

2008년 하드커버 에디션

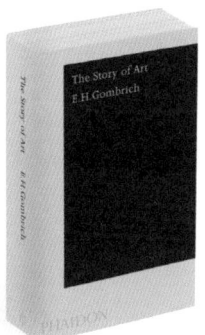

2006년 문고판 에디션

파이돈 출판사
출장기

엄미정

현재 곰브리치의 『서양미술사』를 펴내는 예경 출판사는 내가 처음으로 출판이란 미지의 세계에 입문한 회사다. 출근하던 첫날 지금의 『서양미술사』와 큰 차이가 없는 두툼한 책을 보고 깜짝 놀랐던 기억이 난다. 그때만 해도 대학 시절 '서양미술사'의 교과서로 읽었던 상하 두 권짜리, 흑백 도판 위주의 열화당 판 『서양미술사』가 눈에 익숙했기 때문이다. 그런데 이 책은 판형도 커졌을뿐더러 무려 688쪽에 달하는 한 권으로 제작되어 한손으로 들기도 버거울 정도였다. 무엇보다 거의 모든 도판이 컬러로 바뀌어 호화롭기까지 한 그림의 퍼레이드에 눈이 휘둥그레졌다. 마치 흑백텔레비전 시대를 지나 컬러텔레비전 시대에 살게 된 것처럼 압도적이었다.

그날 이 새로운 『서양미술사』는 우리나라가 저작권 협약에 가입한 뒤 예경 출판사가 영국의 파이돈 출판사와 정식 출판 계약을 맺고 나온 책이며, 따라서 예전의 『서양미술사』와는 다른 번역자 두 분(백승길, 이종숭)이 새로 번역했고 편집 디자인도 영어판과 똑같이 해서 출간했다는 이야기를 들었다. 더불어 번역서 중에서도 특히 그림이 많은 책은 이 책처럼 공동출판Co-Production으로 출간되는 책이 있다는 것, 그래서 지금과 같은 편집 체제를 갖추게 되었다는 것을 이해하게 되었다. 그리고 앞으로 이 출판사에서 나의 업무는 이 책을 비롯해 번역서들의 저작권을 관리하는 일이 될 것이라는 것도 알게 되었다.

공동출판을 알아가다

그날부터 나는 공동출판이 무엇인지부터 파악하기 시작했다. 공동출판이란 우리나라에서 한글판만을 제작하는 방식이 아니라 영어판, 프랑스어판 등 세계 각국의 판본을 한 인쇄소에서 함께 인쇄하는 방식을 말한다. 즉 곰브리치의 『서양미술사』는 영어판이든 프랑스어판이든 독일어판이든 표지는 나라마다 다를 수 있지만 판형이 같고 도판도 모두 같은 자리에 위치하며 페이지 수도 동일하다. 이상하게 들릴 수도 있겠지만 충분히 가능한 일이다.

보통 컬러 책을 제작할 때는 CMYK 4도로 색분해된 필름 4장으로 인쇄한다. 그런데 공동출판의 경우는 이미 4도로 색분해된 도판이 들어 있는 4장의 필름에 한글이든 영문이든 독문이든 글자를 인쇄할 K, 곧 검정색판 필름을 한 장 더 추가해서 인쇄한다. 이 글자 인쇄용 검정색판 필름만 교체해주면 똑같은 자리에 도판이 들어가고 한글판, 영문판, 독문판 등 언어가 각각 다른 책이 나오는 것이다.

이렇게 제작하려면 우선 이 책의 저작권을 가지고 있는 파이돈 출판사에서 영문판 디자인 데이터를 각국의 파트너 출판사에 보내야 한다. 디자인 데이터를 넘겨받은 각 출판사는 본문을 편집할 때 도판 자리는 남겨두고 글자 자리에 자국의 글자를 흘려서 검정색판 글자용 필름을 만들 수 있는 데이터(또는 출력된 글자 필름)를 파이돈에 보낸다. 그런 뒤에 파이돈이 계약한 인쇄소(당시『서양미술사』의 경우 중국에서 인쇄했다)에서 각국의 판본을 인쇄한 후, 제본까지 완성된 책을 파트너 출판사가 수입하는 형식으로 책을 들여온다.

기준이 되는 데이터에 맞춰야 하니 도판 자리와 텍스트 자리를 움직일 필요가 없어서 디자인이 쉬울 듯하지만 실상은 그렇지 않다. 영문을 한글로 번역하면 보통 본문 분량이 원서 대비 약 30퍼센트가량 증가한다고 추산하는데, 글자 자리는 원서와 동일하되

1997년 예경 출판사에서 처음 공동출판한 『서양미술사』 초판 표지.

들어가야 할 글자는 더 많다는 게 가장 큰 난점이다. 디자이너들은 할 수 없이 본문 글자 크기, 자간, 행간을 그에 맞춰 조정하게 된다. 공동출판 방식으로 제작한 책 중에 본문 분량이 많아서 글자 크기가 작아지고 그와 더불어 자간과 행간이 빡빡해져 가독성이 떨어지거나, 한 장을 마치는 부분에서 글자 자리가 어색하게 비는 경우가 생기는 게 바로 이런 이유에서다. 부득이한 경우는 번역 텍스트 분량을 줄이기도 한다. 우리나라에서 공동출판 형식으로 출간된 파이돈의 책은 꽤 많지만『서양미술사』만 한 스테디셀러는 거의 없을 듯하다. 국내에서 예술 분야 책은 예나 지금이나 그리 많이 팔리지 않으니 말이다.

파이돈 출판사와 밀당하기

입사한 지 얼마 되지 않아 파이돈 담당자와 연락할 일이 생겼다. 한글판『서양미술사』의 인쇄 제본이 끝나서 국내로 들여와야 할 시점(2003년)이었다. 당시 들여온『서양미술사』가 현재 판매되고 있는 소프트커버판 표지의 첫 판본이다. 더불어 역시 파이돈의 원서를 번역했던『20세기의 미술』의 표지를 현재의 표지로 바꾸는 일도 챙겨야 했다. 표지는 그야말로 책의 얼굴이나 마찬가지이므로 차질 없이 보내느라 바짝 긴장했다. 표지 디자인 데이터와 함께 국내에서 출력한 필름을 국제 운송으로 보내며 조마조마하던 기억이 난다.

파이돈에서는 거의 해마다『서양미술사』의 공동출판 스케줄을 잡고 올해는 몇 부나 인쇄할 계획이냐고 문의해왔다. 재고가 얼마 남지 않았을 때야 상관없지만 재고가 꽤 남아 있는데도 참여해야 하는 경우도 있었다. 그때부터 인쇄 부수를 놓고 신경전이 시작된다. 파이돈에서는 늘 예상을 뛰어넘는 많은 인쇄 부수를 요구했다.

"재고가 많이 남아 있어서 그 부수를 받아들이기 어렵다. 이번에는 그보다 적은 부수를 인쇄하겠다"는 메일을 보내면 파이돈 담당자는 메일을 읽지 않는 것인지, 각 나라마다 할당해놓은 부수가 있는 것인지 재차 자기들이 제시한 부수를 그대로 밀어붙이려고 했다. 그럴 땐 더 이상 일을 진행하지 않고 한동안 시간을 보내는 편이 낫다. 인쇄 일정이 다가오면 마음이 급해진 파이돈 담당자가 다시 연락을 해올 테니 말이다. 그렇게 가까스로 우리 쪽 요구를 관철시키는 요령을 터득해갔다.

이런 식으로 원하는 때에 필요한 만큼 인쇄하기가 힘들기 때문에 국내 출판사에서는 번역서를 출간할 때 공동출판이 아니라 번역 출판권을 계약하고 자체적으로 제작하기를 원한다. 인세 지불 방식 역시 공동출판 책처럼 할인율이 적용된 완성본 책값을 한꺼번에 지급하는 것이 아니라, 매해 판매한 부수에 따른 인세 지급 방식을 원한다. 하지만 파이돈이나 DK처럼 도판이나 도해가 많은 책을 펴내는 출판사는 도판 사용권 문제 등의 사정 때문에, 게다가 그 책이 『서양미술사』 같은 스테디셀러라면 공동제작 출판 방식을 고수하는 경우가 많다.

공격적인 사람들, 파이돈 출판사

입사했던 그해 가을에 사장님이 프랑크푸르트 도서전에 가겠다고 했다. 당시 저작권 업무를 담당했던 내가 사장님을 수행하게 되었다. 이미 여러 차례 도서전에 다녀오신 사장님은 도서전 현장이 많이 번잡하니 프랑크푸르트에 가기 전에 런던에 들러 기존에 거래가 있던 출판사들과 미팅을 하는 게 좋겠다고 했다. 파이돈을 비롯해 대여섯 회사들의 담당자들과 연락해서 미팅 스케줄을 잡느라 출국 전날까지 야근을 하다가 런던행 비행기를 탔다.

런던에 도착한 다음 날부터 서점과 출판사 순례가 이어졌다. 출판사 미팅이 끝나고 시간이 날 때는 서점에 들러 번역 출간할 만한 책을 찾았다. 방문한 출판사에서는 이메일로만 업무 내용을 주고받던 담당자들과 만나 그 회사의 신간을 소개받았다. 당시 템즈앤허드슨, 로렌스앤킹 같은 회사들은 블룸즈버리에 있었다. 20세기 초반 버지니아 울프, 로저 프라이, 존 케인스 등 영국의 지식인, 예술가들의 모임인 블룸즈버리 그룹으로 더욱 이름이 높아진 이 일대는 영국박물관과 런던 대학교를 비롯해 각종 문화, 예술, 교육 기관과 출판사들이 밀집해 있는 유서 깊은 지역이다. 그때 내가 머물던 숙소도 마침 블룸즈버리 근처여서 두 회사를 걸어서 오가는 길에 영국박물관(그리고 박물관 서점)에 드나들었던 기억이 난다.

사장님과 이미 안면을 튼 어느 출판사의 대표, 담당자와 영국 박물관 레스토랑에서 6백 년 전 런던 사람들의 메뉴로(당시 영국 박물관에서 '런던 6백 년'을 기념하는 기획전이 열리고 있었다) 식사를 하고 나오던 길이었다. 그 출판사의 담당자가 내게 다음에 갈 출판사가 어디냐고 물었다. 파이돈이라고 하니까 그녀는 고개를 절레절레 흔들면서 파이돈 사람들을 가리켜 '공격적인 사람들aggressive people'이라고 했다. 지난 늦봄부터 여름 동안 『서양미술사』 공동 출판 건으로 소모적인 신경전을 치른 터라, 나는 그녀의 말에 맞장구를 치지 않을 수 없었다.

　　그들과 헤어진 후 사장님과 블랙캡을 타고 파이돈으로 갔다. 당시 파이돈 사무실은 블룸즈버리와 꽤 거리가 떨어진 북쪽 리젠트 운하 인근에 있었다. 택시에서 내리니 지은 지 얼마 되지 않아 보이는 주황색 벽돌 건물의 현관문 위에 낯익은 'PHAIDON' 로고가 보였다. 두툼한 나무문을 열고 들어가 안내 프런트에서 담당자 이름을 대고 미팅 약속을 했다고 하니, 커다란 창으로 환하게 빛이 들어오는 미팅룸으로 안내했다. 파이돈의 책이 깔끔하게 정돈된 모던한 책꽂이가 인상적이었다. 블룸즈버리의 역사적인 건물에 자리 잡은 출판사에서 느껴지던 낭만적인 분위기와는 느낌이 전혀 달랐다. 대기업처럼 조직적이고 사무적인 공기에 약간 긴장이 되었다.

　　곧 갈색 머리를 포니테일로 묶은 호리호리한 아시아 담당자가

2003년 런던 출장을 갔을 때 방문한 파이돈 출판사.

들어왔다. 그녀는 우리와 신경전을 벌였던 담당자의 후임이었다. 그해 신간 카탈로그를 가져온 그녀는 우리 앞에 카탈로그를 펼쳐놓고 속사포처럼 책 소개를 이어갔다. 가까스로 그녀의 말을 따라가다가 그녀가 말을 멈추자 나도 모르게 "말이 정말 빠르네요!"라는 한마디가 나왔다. 담당자는 웃으면서 말하고 있었지만 자기들의 요구를 끝까지 관철시키려는 의지가 강하게 전달됐다. 우리는 그녀와 얘기를 나누던 내내 "생각해보겠다"는 말로 즉답을 피했다. 머릿속에서는 아까 들었던 "공격적인 사람들"이란 말이 계속 맴돌았다.

미팅을 마치고 나오면서 나는 현관문 위 '파이돈' 로고가 있는 사옥을 카메라에 담았다. 다른 출판사는 아무리 고풍스런 건물이 멋있어도 사진을 찍어야겠다는 생각은 못 했는데 유독 파이돈 출판사만큼은 저절로 카메라 셔터에 손이 갔다. 지금 돌이켜보면 그들이 공격적이든 아니든 간에 파이돈의 책들이 내게도 '욕망'이자 '애정'의 대상이었고 그래서 그곳에 다녀왔다는 인증이 필요했나 싶기도 하다.

런던에 다녀온 후로도 파이돈 출판사와의 줄다리기는 여전히 계속됐다. 당시에는 소프트커버판『서양미술사』한 종으로만 국내에 판매되었지만, 지금은 파이돈 출판사가 펴낸 곰브리치의『서양미술사』가 세 가지 종류(과거의 소프트커버판, 하드커버판, 문고판)로 다양해졌고 당연히 종류마다 표지도 달라졌다. 예경 출판사를 퇴사한 지도 10년이 넘었다. 하지만 요즘도『서양미술사』를 보면 파이돈의 사람들과 그 분위기가 생각난다. 그들은 여전히 '공격적'일지 사뭇 궁금하다.

엄미정

서양미술사를 전공하고 예술서 편집자로 출판사에서 일했다. 지금은 프리랜서 번역가이자 편집자로 일한다.『후회 없이 그림 여행』을 썼고,『그림을 본다는 것』,『판도라의 도서관』,『죽음과 부활, 그림으로 읽기』,『모던 아트』,『조지아 오키프』등을 번역했다.

A STORY WITHOUT EN[…]

The triumph of Modernism

This book was written s[…]
and first published in […]
its final chapter were […]
quite recent date. N[…]
demand for me to […]
The pages now […]
and o[…]

끝이 없는 이야기

손경여
심혜경
엄미정
윤유미
이소영
이연식
최예선
홍지석
홍지연

정리 **최예선**

#1 지금껏 이런 미술사는
없었다

지석　『우리 시대의 토픽들Topics of Our Time』이라는 책을 소개하는 것으로 라운드테이블을 시작해볼까요? 이 책은 예술과 교육에 관한 곰브리치의 글들을 모은 책이에요. 그중 첫 번째 글이 「자서전 스케치」인데요. 여기서 곰브리치는 자신의 성장 과정을 회고하고 있어요. 자신의 이야기를 썼기 때문에 비교적 편하게 읽어나갈 수 있죠. 사실 곰브리치는 이 글뿐만 아니라 여기저기에서 자신의 삶을 회고해요.

곰브리치는 19세기와 20세기에 탄생한 수많은 지성의 별들과 잔뜩 엮여 있어요. 소위 '빈학파'의 일원으로서 말이죠. 곰브리치의 스승은 빈학파의 거장인 율리우스 폰 슐로서*입니다. 알로이스 리글◆이나 막스 드보르작▲, 한스 제들마이어✦ 등 빈학파의 거장들에게도 영향을 많이 받았죠. 훗날 런던 바르부르크 연구소◆에서 일하면서 아비 바르부르크의 지적 전통과도 연결됩니다. 말하자면 곰브리치의 성장기는 그 자체로 당대 유럽 미술사의 축소판과 같다고 할 수 있죠.

● Julius von Schlosser(1866~1938년), 오스트리아 미술사가. 미술문헌 자료 비판 분야에서 획기적인 업적을 남겼다.

◆ Alois Riegl(1958~1905년), 오스트리아 미술사가. 빈학파의 중심으로 미술사를 하나의 연속된 흐름으로 보았다.

▲ Max Dvořák(1874~1921년), 오스트리아 미술사가. 리글 등 빈학파의 입장을 이어받아 미술 세계의 사적 전개를 양식과 정서적 관점에서 규명하려 했다.

✦ Hans Sedlmayr(1896~1984년), 오스트리아 미술사가. 미술사 구조 분석 방법으로 유명하다.

『서양미술사』 서론에서 곰브리치는 이 책을 "자신들의 힘으로 이제 막 미술 세계를 발견한 십 대의 젊은 독자들"을 썼다고 말하죠. 미술사를 공부하는 데 청소년기가 얼마나 중요한지를 강조한 말인데, 이 말은 그 자신에게도 그대로 적용됩니다. 그는 정말 좋은 환경에서 미술사를 학습하고 미술사학자로 성장했거든요. 어떤 의미에서 『서양미술사』는 곰브리치의 성장 과정을 반영한 책이라고도 말할 수도 있을 겁니다.

경여   『서양미술사』를 다시 읽으면서 처음 이 책을 읽었을 때와 이렇게 다를 수 있구나 놀라웠어요. 그때는 왜 그렇게 읽기가 어려웠을까요? 화가 이름은 생소하지, 한자도 많지, 도판은 식별하기 어렵지, 책에서 구체적으로 언급되는 부분을 도판에서는 도무지 찾을 수 없지, 그러니 미술이 아니라 문자로만 읽은 셈이지요. 그런데 다시 읽어보니 대부분의 내용이 어디선가 들어본 적이 있는, 이미 알고 있는 이야기더란 말이죠. 그리고 심지어 그 이야기가 매우 쉽게 기술되었다는 걸 깨닫게 됐어요.

예선   곰브리치는 『서양미술사』에서 어려운 용어나 전문 용어를 절대 쓰지 않겠다고 명시해두었지요.

경여   그럼에도 자주 등장하는 단어들을 발견하게 되었는데요. '위대함'과 '단순함', '고요함'이에요. 고전학자 빙켈만이 사용했던 용어들이지요. 저는 이 단어들을 통해서 곰브리치가 말하고

♠ 르네상스 연구자이자 도상해석학의 창시자인 아비 바르부르크를 중심으로 함부르크에서 발족한 연구기관. 문학, 예술, 사상, 사회 등 네 분야에서 고전적 전통 연구를 표방하며 서구 문화와 고대와의 관련을 탐구해왔다. 1934년 나치의 대두로 본거지를 영국으로 옮겼고 1958년부터 런던 대학의 부속 연구기관으로 정착했다.

자 하는 바를 이해해보려고 했어요. 고전미와 반대되는 경향에 대해서는, 단순성이 결여되어 있다, 조화롭지 않다, 고요하지 않다, 라며 경쟁적인 개념을 사용합니다. 그리고 자연의 모방에 대한 관점에 서술의 방점이 찍혀 있어요. 곰브리치는 이를 두 가지 방식으로 설명하고 있다고 느꼈는데요. 하나는 자연의 충실한 모방으로 예술을 이해하는 것, 그럴 때 쓰는 표현은 '끈기 있게' '성실하게'예요. 다른 하나는 자연의 진정한 모방으로 예술을 바라보는 관점으로 '이상적인 미'라고 표현했죠. 여기서는 성실한 표현이 아니라 조화로운 표현이 중요해요. 이렇게 경쟁적인 개념으로 주거니 받거니 서술하고 있어요.

그런데 이런 관점으로는 누락되는 부분이 많은 거죠. 예를 들어 미켈란젤로의 후기 작품처럼 '논 피니토^{non finito}'라 불리는 '미완성의 미'라는 것도 있잖아요. 곰브리치의 서술 방식으로는 이를 설명해내기가 어렵죠. 그래서 누락된 것이 아닌가 싶어요. 그러니 장대한 역사를 서술하는 것이 아니라 하나의 미술 이야기라는 관점이 이 책에는 정말 적합하다는 생각이 들어요. 미술가들에 대해서는 말할 것도 없죠. 곰브리치 자신의 주관적인 관점을 끊임없이 이야기하니까요. 놀라울 만큼 과장된 표현도 많아요. 잘 읽어보면 서술의 일관성도 없을뿐더러 웃음이 피식 나오는 낚시성 과장도 많고요.

지석 그것은 조르조 바사리의 영향이라 할 수 있어요. 대학 시

미켈란젤로, 〈론다니니의 피에타〉, 1564년.
미켈란젤로가 죽기 직전까지 작업했으나 끝내 미완성으로 남은 작품.
과연 의도된 미완성일까?

절 곰브리치는 폰 슐로서가 지도한 여러 세미나에 참석했는데요. 폰 슐로서는 특히 바사리의 『미술가 열전』을 읽는 세미나를 중요시했다고 해요. 학생들 각자가 이 책에 등장하는 미술가를 한 명씩 정해서 읽고 발표하는 식이었죠. 그러니 곰브리치의 『서양미술사』에 바사리의 관점이나 취향이 드러나는 것은 어쩌면 자연스러운 현상일 듯해요.

예선　르네상스부터 서술의 분위기가 확 전환되잖아요. 이제부터 '예술가 열전'이 시작되겠구나 싶은 감이 오죠.

지석　곰브리치가 미술사를 공부하게 된 계기가 있었는데요. 고등학교 다닐 때였다고 해요.

예선　곰브리치는 어떤 고등학교를 다녔을까요?

지석　인문주의 김나지움이에요. 이 학교에서는 졸업을 앞두고 심화 에세이를 쓰는 것이 관례였다고 해요. 곰브리치가 택한 주제는 '빙켈만에서 현대에 이르는 미술 감상의 변화'였어요. 당시 빈 사람들 사이에서는 이탈리아 여행이 인기였고, 고대 그리스·로마나 르네상스를 선호하는 고전주의 취향이 널리 퍼져 있었죠. 하지만 빈학파의 미술사학자들은 고전주의가 아닌 다른 미술, 이를테면 후기 중세, 그뤼네발트 같은 미술가들에게 주목했어요. 곰브리치는 이 상황이 매우 혼란스러웠고 그래서 그것을 정리한 에세이를 썼던 거예요. 그 과정에서 미술사를 공부해야겠다고 마음먹게 됐지요.

곰브리치가 속했던 빈학파는 북유럽의 주관적, 정신적인 성향과 남유럽의 고전적인 성향의 대립에 관심이 많았어요. 그 접점에 '미켈란젤로'가 있었고요. 미켈란젤로, 특히 후기 미켈란젤로에게는 이 두 가지 성향이 동시에 나타나요. 알로이스 리글은 그것을 이탈리아 바로크의 기원으로 이해했어요. 이처럼 빈학파는 당시로서는 특이하게도 바로크나 매너리즘에 집중합니다. 『서양미술사』에서 두 가지 성향의 대립으로 미술사의 전개를 설명하는 부분이 많은 것은 이런 문맥에서 이해해야 할 것 같아요.

경여　전성기 르네상스 안에서 북구 르네상스를 새롭게 볼 수 있는 관점을 제공한 것이군요.

지석　그 부분은 곰브리치가 공부를 시작할 때만 해도 매우 낯선 관점이었어요. 빈학파는 매너리즘이라는 용어에 뭔가 새롭고 긍정적인 의미를 부여했던 거죠. 곰브리치가 『서양미술사』에서 매너리즘에 대해 부정적인 관점을 드러내긴 하지만 사실 그가 매너리즘을 열심히 이야기하고 있다는 것 자체가 빈학파의 영향을 나타낸다고 볼 수 있어요.

소영　저 역시 한참 동안 내버려두고 있던 이 책을 다시 읽어보았는데요. 어쩜 그는 취향이 이다지도 일관되는지⋯⋯. 모든 시대를 아울러 단순하고 고요한 작품을 좋아해요. 우리나라로 치면 석굴암 같은 고전적이고 이상적인 미를 표현한 미술가들이지요. 석굴암에서 고전의 미가 절정으로 꽃피었다가 고려 시대로 넘어가면 쇠퇴하고 퇴폐미에 이른다는 우리의 미술사 교과서를 보는 것 같았어요. 이 책의 서론에 보면, 곰브리치는 현대에 대해 쓰기가 어렵다고 이런저런 이야기를 하고 있는데요. 이런 관점을 가지고 있기 때문에 현대에 대해서는 쓸 수 없었던 게 아닐까요. 단순하고 고요한, 위대한 미를 주류에 놓고 현대 미술을 설명할 수는 없으니까요. 아마도 현대 작가들 중에는 좋아하는 작가도 없을 것 같아요.

바사리의 『예술가 열전』과 곰브리치의 『서양미술사』는 서로 지향하는 바가 다르다고 생각해요. 바사리가 자기 시대의 화가들을 다루면서 그들이 역사의 재료가 되도록 만들었다면 곰브리치는 이미 역사인 것을 다룬다고 해야 할까요. 역사라면 역사가가 살고 있는 동시대를 말하지 않는 게 당연하다고 생각되지만, 현재와의 관계랄까, 현재를 염두에 두지 않으면 역사는 교과서가 되어버려요. 우리나라에서 이 책이 부담 없이 많이 팔리는 이유도 현재를 이해해야 한다는 부담을 덜어주기 때문이 아닐까요? 교과서를 보는 것 같은 편안함을 선호하는 것 말이죠.

경여   서로 지향하는 바는 달랐어도 곰브리치는 바사리와 닮은 점이 많아요. 특히 엘 그레코를 낮게 평가한 것은 곰브리치가 고전파의 입장에 서 있다는 것을 확실히 해주는 부분이에요.

연식   곰브리치에게 현대적인 면이 없지는 않죠. 대가는 디테일에 신경 쓰지 않는다는 언급은 틀림없이 곰브리치가 피카소를 보고

엘 그레코, 〈목동들의 경배〉, 1612~1614년.
곰브리치는 엘 그레코의 작품을 믿을 수 없을 만큼 현대적이라고 표현하면서도
스페인 미술의 특성과 역할을 충분히 설명하지 않았다.

나서 하게 되었을 테고요. 곰브리치는 나름대로 현대적인 관점을 받아들였고 이 때문에 엘 그레코나 매너리즘에 대해 그나마 평가할 수 있었던 거죠.

예선 이 책을 읽으면서 제가 오래 머물렀던 부분은 고전주의 화가들이 아니라 변방에서 튀어나온 화가 쪽이었어요. 그래서 저는 곰브리치가 고전주의에 경도되었다는 관점에 동의하기가 어려워요. 역사의 흐름이나 지역적 맥락에 따라 직물을 직조하듯이 예술가들을 씨줄과 날줄로 연결한 거대한 흐름이라고 느꼈거든요. 어떤 예술가를 특별히 부정적으로 읽을 필요는 없을 것 같아요. 세잔을 모더니즘의 개척자로 방점을 찍고 난 뒤에는 서술이 흐지부지된 경향이 있지만, 그 앞까지는 굳이 우열을 가릴 필요 없이 다양한 화가들의 탄생과 사라짐으로 굉장히 유쾌하게 이야기의 흐름을 만들었다고 봅니다. 그리고 건축을 매 장마다 가장 앞에 서술하고 있다는 게 특이한 점이기도 하죠.

연식 곰브리치가 건축으로 매 장을 시작한 이유도 언급되어 있죠. 대개는 미술사를 말할 때 회화와 조각을 중심적으로 다루고 건축은 소홀히 하기 마련이라서, 아예 미리 앞에 서술하겠다고요. 그러면 적어도 건축을 누락하고 가는 일은 없을 거고, 독자들 역시 건축에 주목하면서 새로운 시대를 읽어가리라는 것이죠. 그 발상이 매우 재미있었어요.

경여 그런데 곰브리치는 건축이건 미술이건 발전 과정의 이유에 대해 쓰지 않아요. 시대마다 미의식을 변화시킨 당대의 사건들에 대한 언급이 없어요. 사실, 시대의 미의식에서 가장 중요한 부분은 건축이 담당하죠. 뿐만 아니라 종교 개혁, 과학의 발전이 미술사에도 얼마나 중요합니까? 그런데 이런 사건에 대한 언급이 없어요. 과학이 르네상스와 얼마나 밀접하며, 십자군 운동이 사회에 끼친 영향이 얼마나 큰가요? 이런 사회의 변화와 발전이 인식의 변화를 가져오고 미술을 변화시키는 중요한 동인이 되잖아요. 그런 관점이 배제된 이 미술사는 낡은 것이라고밖에 볼 수 없어요. 그러니 미술사는 다시 쓰여야 한다고 저는 생각해요.

지석   그렇게 되면 그건 미술사가 아니라 문화사죠. 이 점은 독일 미술사가들의 큰 고민이기도 했습니다. 미술사를 기술할 때 어디까지 역사가가 되어야 하는가?라는 입장 말이죠. 많은 미술사가들이 문화사가의 길을 걷거든요. 그렇다면 미술사는 어떻게 쓰여야 하는가? 곰브리치도 그 점에 관해 많은 고민이 있었을 거예요.

경아   곰브리치의 미술사는 지금껏 이런 미술가는 없었다, 이런 식으로 전개된다고 할까요. 왜 그러한지가 빠져 있어요.

지석   의도적으로 뺐다고 봐야겠죠. 이 책의 서문을 다시 볼까요? "끊임없는 변화를 연속적인 진보로 보는 것은 소박한 오해를 빚을 수 있다. 한 방향에서의 진보가 다른 방향에서는 손실을 수반한다." 이 말은 미술사를 일방향의 발전사로 보지 않겠다는 태도를 드러내요. 또 "미술이라는 것은 사실상 존재하지 않고 미술

ROUND TABLE

114

가들만 존재한다"라는 문장도 있는데, 이는 폰 슐로서의 말에서 가져온 거예요. 미술이란 하나의 고정된 실체가 아니라 계속해서 변하는 것이라는 관점을 드러낸 문장이죠.

훗날 곰브리치는 『예술과 환영』이라는 책에서 회화적 재현의 심리학적 연구를 진행해요. 이 책에서 그는 재현 방식은 발전할 수 없다고 주장합니다. 각 시대, 각 장소에서 유효했던 제각각의 재현 형식들이 존재한다는 거죠. 그 가운데 어느 하나를 더 훌륭한 재현 형식, 재현 체계라고 말할 수 없다는 것이 그의 판단이었던 거예요.

소영 『서양미술사』와 더불어 최근 바사리의 책도 다시 읽게 되었는데요. 미술사를 서술하는 사람은 칭찬에 능한 사람이란 점을 깨달았어요. 7백 페이지 정도는 닥치고 칭찬할 줄 알아야 한다 이거죠. 곰브리치와 저널리스트 디디에 에리봉과의 대담을 엮은 『이미지가 우리에게 들려주는 것』을 구해서 읽고 있는데, 이 책에 이런 내용이 나와요. "미술의 역사는 우리가 르누아르나 마네의 수법을 알아볼 수 있는 데 기초를 두고 있습니다. 그렇지 않다면 모든 것이 비슷해 보이겠지요." 이것은 양식사를 설명하는 것처럼 보이는데 그게 아니에요. 예술가 한 명 한 명의 스타일이 있고 그걸 식별할 수 있기 때문에 미술의 역사가 가능하다는 점을 말하는 거예요. 그렇지 않다면 미술의 역사가 아니라 시각 체계의 역사, 이미지의 역사만 가능하기 때문이지요. 미술사라는 학문을 만들어내는 것은 미술의 역사가 아니라 결국 각각의 미술가들의 역사라는 겁니다.

곰브리치는 또 이런 말을 해요. 에르빈 파노프스키의 도상학을 신랄하게 비판하다가 "위대한 걸작은 의미가 많기 때문이 아니라 아름답기 때문이지요"라고요. 그러니까 칭찬에 능한 사람이라고 할 수밖에요.

지석   칭찬의 역사일 수밖에 없는 것은 매번 다른 재현 체계, 매번 다른 모방의 방식을 보여주는 사람들이 등장하기 때문이 아닐까요. 곰브리치는 그런 훌륭한 사람들의 역사를 쓰고 싶었던 거죠.

소영   이건 좀 방향이 다른 얘기인데요. AI가 과연 미술사를 연구할 수 있는가에 대한 실험이 있었다고 해요. 그 미술가가 오리지널리티가 있는가, 그의 복제본을 만든 추종자가 얼마나 되는가, 그 두 가지를 기준으로 해서 알고리즘을 만들어 지난 오백 년간의 서양미술사 데이터를 부여했는데, AI가 선택한 미술가들은 여태까지 많은 미술사가들이 꼽았던 미술가들과 비슷했다고 해요. 그렇다면 미술사가는 계속 그런 미술가를 찾아야 하는 사람이고, 그러다 보면 계속 칭찬할 수밖에 없겠지요. 광고 카피처럼 보일지라도 말이에요.

#2 십 대를 위한 기획 출판물,
그 이상의 미술 이야기

예선　『서양미술사』가 지금도 베스트셀러로 팔리고 있다고 하는데요. 우리 모두 경험했듯이 과연 얼마나 읽는가는 확신할 수 없지만 여전히 이 책에 대한 믿음이 견고하다는 뜻이겠지요? 특히나 요즘처럼 집콕하는 시대에는 사놓고 못 다 읽은 벽돌책들, 그 중에서도 『서양미술사』를 콕 집어 읽겠다는 결심들이 많아지고 있는 것 같아요. 얼마 전 마그앤그래 서점에서 『서양미술사』 읽기 카카오 모임을 시작하셨죠? 신청자가 엄청났다고요?

소영　정말 충격적이었어요. 카카오 '프로젝트 100'의 네 번째 시즌으로 이 책을 선정했어요. 그동안은 박경리의 『토지』 읽기, 톨스토이의 전작 읽기 등을 진행해왔죠. 그런데 곰브리치의 『서양미술사』 읽기는 지금까지 모집한 프로젝트 중에 가장 열렬한 반응을 얻었어요. 첫날 90명이 등록했고, 120명까지 받고 마감하기는 했는데, 이후로도 계속 개인 톡으로 인원을 충원해달라고 연락이 왔어요. 정원을 5백 명으로 잡았다고 해도 다 모았을 것 같아요. 이 책을 마음의 짐으로 안고 있는 사람들이 그만큼 많다는 걸 의미하겠죠. 이 책을 꼭 읽어야겠다고 새롭게 결심했다기보다는 이미 많은 사람들이 갖고 있는 책이라는 점에서 열렬한 반응이 있었던 것 같아요. 그리고 이 책을 구입한 사람들 대부분은 이 책을 공부해야 하는 책으로 간주하고 있어요. 소설 같은 이야기책이라고 생각했다면 여태 못 읽지는 않았겠지요. 그리고 서점에 오는 분들은 소장에 의미를 두고 일반본이 아니라 양장본을 선택하는 경우가 많더라고요.

예선 곰브리치의 『서양미술사』가 등장한 것도 그리 오래된 것은 아닌 것 같거든요. 언제부터 이 책이 개론서로 각광받게 되었을까요? 원로 미술사학자 한 분은 학생 때 헬렌 가드너의 『서양미술사』로 공부했는데 원서를 구해 어렵게 읽었다고 하더라고요. 제 후배는 학부 다닐 때인 2000년 초반에 곰브리치의 『서양미술사』를 교재로 수업을 진행하기도 했다고 하고요. 요즘 학교에서는 어떤 책으로 서양미술사를 배우는지, 요즘도 이 책을 읽는지 또는 읽지 않는지 궁금해요.

지연 예술학을 공부하는 제 아이에게 이십 대 대학생들은 이 책을 어떻게 생각하는지 물어본 적이 있어요. 미대 게시판에 미대에 관심 있는 타과생들의 질문이 가끔 올라온대요. 미술에 관심이 생겼는데 어떻게 시작하면 좋을까요? 여자 친구가 미술을 좋아하는데 이야기를 거들려면 어떻게 해야 할까요? 예술학과를 부전공하고 싶은데 어떻게 준비하면 될까요? 이런 질문들. 그러면 답변이 딱 이렇게 달린대요. *곰브리치의 『서양미술사』를 읽으세요.* 실상은 전공자들도 이 책을 읽은 건 아니면서요.

　이 책은 전공 교재는 아니고 참고도서 리스트 중에 있는데, 아이가 이번에 읽어보더니 의외로 쉽게 읽힌다며 이야기책 같다고 하더라고요. 학교 수업에서 다루는 하인리히 뵐플린 같은 본격적인 미술사가들의 이론에 비하면 매우 쉽다는 반응이었어요. 곰브리치의 의도를 짐작해보건대, 누구나 미술에 쉽게 접근하도록 이 책을 쓴 게 아닐까 싶어요. 미술가들을 상찬하면서 그 이유를 알고 싶으면 각자 더 공부하라, 이런 식으로 권하는 책인 거죠.

경여 저는 학부에서 교양 도서로 읽었던 시절을 떠올리게 되는데요. 그때는 이 책이 매우 어려웠거든요. 이 책이 대학 초년생을 위해 씌어졌다고는 하지만 피렌체나 파리에 살면서 이런 그림을 매일같이 보는 애들이라면 모를까, 환경이 다른 우리에게는 쉬울 리가 없겠지요.

소영 미술사를 읽는 건 쉬운 일이 아니에요. 우리도 어려서부터 석굴암도 보고 박물관도 가고 옛날 그림도 보고 하지만 한국미술사 책이 정말 어렵거든요.

지연 우리는 특별한 날에만 박물관, 미술관을 간다면 그쪽 아이들은 놀러 가듯 가고 매우 일상적으로 미술관에서 다양한 체험을 하잖아요. 우리가 책으로만 보는 그림도 직접 접하다 보면 이책이 그만큼 쉽게 다가올 것 같아요.

예선 미술 교육의 차이일 수도 있겠네요.

경여 곰브리치는 끊임없이 약을 올리잖아요. 이 작은 도판으로는 이해할 수 없을 테니 실물을 봐야 한다고. 얼마나 열 받는 줄 알아요? 볼 수 없다면 그림을 이해할 수도 없는가, 이런 생각이 든다고요.

소영 출판 쪽을 살펴보면 모든 연령대에 '한 권으로 읽는' 시리즈가 있는 것 같아요. 한 권으로 읽는 서양미술사, 이런 식으로요. 이것 한 권만 있으면 미술관에 가더라도 문제없다며 안심을 주는 책들이 있는데, 그걸 연령대마다 사서 보게끔 되어 있어요. 학교 가기 전에도 '한 권으로 읽는', 초등학생들도 '한 권으로 읽는'. 모든 사람들이 모든 세대마다 이런 식으로 교양서를 읽는단 말이죠. 성인이 되면 이런 책을 그만 읽어도 될 텐데, 또다시 『방구석 미술관』 같은 책을 읽고요.

지석 '한 권으로 읽는'이라고 명시되면 좀 저렴해 보이지만, 곰브리치 『서양미술사』는 그 '한 권으로 읽는'의 결정판 같은 느낌이 들죠.

소영 서양미술사라는 것이 어쩌면 우리에겐 숙제인지도 모르겠어요. 한 권으로 요약한 것이라도 얼른 머릿속에 집어넣어야 한다는 의무감이 든다고 할까요?

경여 미술사라고 하니 연대기라고 생각해서 처음부터 끝까지 읽어야 이해가 가능하다고 믿고 있는 거겠죠. 테마로 다루는 것과 달리, 연대기를 파악해서 전체를 이해하고 정리해야 한다는 강박이 한국인에게는 있는 것 같아요.

예선 학교 다닐 때 미술사를 어떤 교재로 공부하셨어요?

연식 곰브리치의 『서양미술사』를 사두긴 했는데 그때는 안 봤고요. 저는 실기 전공이니까 접근하는 방식이 좀 달랐어요. 트렌드에 민감한 때여서 동시대 미술을 조망하는 책들을 찾아봤어요. 『오늘날의 서양미술』이라고 베개만큼 두꺼운 책이 있거든요. 학생들은 다들 하나씩 갖고 있었죠. 그리고 미술사 개설 강의가 있었어요. 그 강의가 참 그랬네요. 학생들을 시청각실에 모아서 케네스 클라크의 〈문명〉을 틀어줬거든요. 나중에 보니까 EBS에서 방송했던 거더라고요.

경여 그때는 인류학이나 문화사 공부를 다 그런 식으로 했어요. 다큐멘터리 보면서.

연식 더빙판이었는데, 케네스 클라크 경이 점잖게 나타나서 그러죠. "저는 알타미라 동굴 앞에 서 있습니다……" 그런데 그 프로그램이 되게 깊은 영향을 줬어요.

지석 케네스 클라크도 곰브리치 못지않은 대가지요. 그 프로그램을 시청한 것이 오히려 도움이 됐을 수도 있을 것 같아요.

연식 이 프로그램이 나중에 『예술과 문명』이라는 책으로 번역되어 나왔더라고요. 아쉽게도 인기를 끌지는 못했고요. 케네스 클라크의 『누드의 미술사』는 필독서였는데, 책 선정에는 지도 교수님의 취향이 많이 반영되었죠. 그때, 르네 위그의 책도 읽었고요. 돌이켜보면 암중모색이라고 할까. 갈피를 못 잡았어요. 그때 한쪽에선 민중미술을 해야 한다고 하고, 어떤 사람들은 동양에서 찾아야 한다며 도올 김용옥 선생의 책을 읽기도 했어요.

미정 대학원에서는 미술사 개론 수업이 없었지만 도서 목록에는 곰브리치가 아니라 젠슨의 『서양미술사』가 들어 있었어요. 3학기 때는 김영나 교수의 『미술의 이해』를 교과서로 읽었어요.

소영 저는 현대미술사 전공이라서 교과서로는 파이돈에서 나온 『20세기의 미술』을 읽었어요. 그리고 젠슨의 『서양미술사』도 밑줄 치며 읽었죠. 곰브리치는 읽지 않았어요.

경여 전문적으로 공부하는 사람이 읽기에는 활극이고, 부실하죠. 도입의 서술을 곰곰 생각해보면 정말이지 입문자를 위해서 친절하게 쓴 책이라는 걸 새삼 느껴요.

지석 곰브리치가 경제적인 사정 때문에 집필을 수락한 책이라고 하거든요. 작정하고 쓴 면도 있겠지요.

소영 필독서가 되려고 작정한 책은 맞는 것 같아요. 초심자들을 타깃으로 하고 대가들의 추천사를 실었는데 하나같이 이 책을 열다섯 살에 읽었다고 적어두었거든요. 우리 동네 미술학원 선생님이 수강생인 중학생들과 이 책을 완독하는 모임을 하고 있는데 결과가 어떻게 될지 기대가 됩니다. 그들 중에서 앤서니 곰리가 탄생하게 될지도 모르니까요.

경여 또 하나 이상한 것은, 대가들을 설명할 때 계속 셰익스피어를 언급하고 있다는 점이에요. 오스트리아 학자가 왜 셰익스피어를? 이탈리아권이나 독일어권에서 가당키나 하겠어요? 단테와

괴테를 언급해야지.

연식 영국의 십 대를 대상으로 쓴 책이란 게 확실해지네요.

지석 실제론 단테라고 썼을지도 몰라요.

예선 셰익스피어로 고치라고 편집자가 그랬겠죠.

소영 기획 출판물이 틀림없네요. 어차피 우리한테는 상관없지
요. 셰익스피어건, 단테건, 괴테건.

#3 미술가의 눈과
곰브리치의 눈

지석　젊은이를 위한 미술 이야기라는 점에서 다른 면을 생각해 볼 수도 있겠어요. 곰브리치가 폰 슐로서의 세미나를 회고하면서 이런 이야길 합니다. 이 세미나의 일원으로 받아들여지면 스승과 학생의 관계가 아니라 동료 연구자로 대우해주었다는 거예요. 발표 페이퍼가 괜찮으면 학술지에 싣자고 권하기도 하고요. 곰브리치는 이 세미나를 매우 긍정적으로 평가해요. 어린 학생들을 대상으로 이 책을 썼다면 그건 자라나는 새싹들에게 교양을 심어주기 위해서라기보다는 본질을 꿰뚫는 젊은 눈을 기대해서가 아닐까요? 곰브리치는 순진한 눈은 싫어하지만 참신한 눈, 변화를 감지한 눈에 대해서는 긍정적이거든요.

예선　이 책 전반에 걸쳐 '미술가의 눈'이 계속 키워드처럼 등장하고 있죠. 미술의 변화 과정이 마치 새로운 눈의 등장 과정인 것처럼요.

지석　그 부분에 대해서는 『서양미술사』 이후에 곰브리치가 쓴 『예술과 환영』을 들여다보아도 좋을 것 같아요. 여기서 그는 예술을 '미'가 아니라 '재현'의 문제로 이해해요. 또 곰브리치는 아는 것을 물리치고 맨눈, 순진한 눈을 회복하자는 로저 프라이나 존 러스킨의 입장을 강하게 비판해요. 그런 눈은 없다는 거지요. 우리는 맨눈이 아니라 주어진 틀을 가지고 세상을 만난다는 거예요. 곰브리치는 바로 그 틀을 수정하고 변경하는 과정을 매우 중요시해요. 그런데 이렇게 재현을 중시하는 접근은 인상주의 이후의 미술, 그러니까 재현을 무시하거나 주관적으로 재현을 왜곡하는 미술 앞에서는 힘을 잃을 수밖에 없어요. 여기서는 하나의 축이 아니라 여러 개의 축이 필요하기 때문이죠. 『서양미술사』에서 인상주의 이후의 서술이 산만하게 보이는 것은 이런 사정과 무관하지 않다고 생각해요.

예선　아는 것에 지배받지 말고 맨눈으로 그림을 보자는 건 요즘 미술 에세이에 많이 등장하는 말 같네요.

미정　곰브리치는 영국 학자들과는 확실히 다른 것 같아요. 유럽 본토의 지적 토대를 갖고 있기도 하지만, 당시 영국에서 유행한 양식사 중심의 연구와는 분명 거리를 두고자 했던 것 같아요.

지석　곰브리치가 영국에서도 잘나간 이유는 영미 미술사가들 사이에서 빈학파에 대한 존경심이 있었기 때문인 것 같아요. 곰브리치의 주변에는 학문의 대가들이 너무나 많았고 그 역시 바르부르크 연구소의 장학금을 받았으니까요. 그러니 뭘 몰라서 『서양미술사』를 이렇게 썼을 거라는 비판은 절대로 옳지 않아요.

경여　그래도 의구심이 생겨요. 미술사를 언급하려면 사회의 변화가 미술가의 눈을 어떻게 바꾸었나, 이 점이 확실히 나와야 한다고 생각하거든요.

소영　스페인 미술은 확실히 무시됐죠.

경여　스페인은 가톨릭의 영향이 너무 커서 전성기 이탈리아 르네상스의 영향을 거의 받지 못했다고 곰브리치는 평가해요. 벨라스케스, 고야가 등장하기 전까지, 이를테면 엘 그레코에 대해서 르네상스의 전통이 없는 나라에서 드물게 성공했다는 정도의 억울한 언급만 하는 거죠. 이런 평가를 스페인에서 과연 받아들일 수 있을까요? 어떤 스페인 학자는 곰브리치는 프라도 미술관에 와보지도 않았을 거라고 빈정대죠. 스페인은 라틴아메리카로 건너가서 새로운 미술을 전파한 특별한 업적이 있잖아요.

소영　스페인에 비한다면 영국 미술을 너무 과하게 평가했다는 비판도 있고요.

지석　저는 이 책에 공예에 대한 이야기, 장식에 대한 이야기가 빠져 있는 게 매우 기이해요. 빈학파는 공예와 장식에 아주 관심이 많았거든요. 그런데 이 책에서는 기껏 건축만 다루고 공예도 매우 한정적으로 다루고 있어요.

소영　장식의 역사는 연대기의 방식으로 서술하기 어려운 분야라서 그런 게 아닐까요?

지석　장식의 역사를 말한 사람이 알로이스 리글이거든요. 그는 아칸서스 장식을 중심으로 장식 모티프의 역사를 살펴본 적이 있고요. 폰 슐로서 세미나에서도 이 주제를 충분히 다뤘거든요. 그런데 역사적 입장에서 장식에 대해 이야기하는 걸 곰브리치는 불편해했던 거 같아요.

소영   그러니까 곰브리치가 여기서 '아트'라고 부른 것은 매우 협소한 의미라고 할 수밖에 없어요. 회화를 중심으로 한.

지석   미술은 없고 미술가만 있다고 했으니까요.

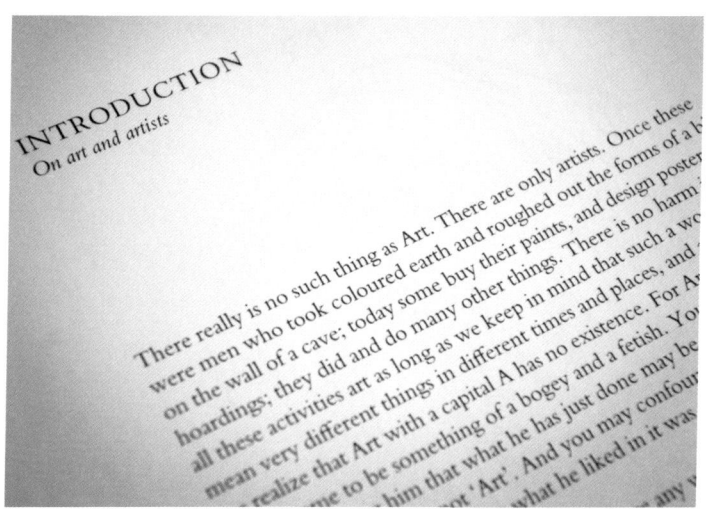

서론의 첫 문장 "미술이라는 것은 사실상 존재하지 않는다. 다만 미술가들이 있을 뿐이다"는 『서양미술사』를 읽어내는 중요한 단서다.

#4 새로운 미술사,
우리 시대는 과연 어떻게 서술될까?

예선 노성두 선생이 대안연구공동체에서 곰브리치의 『서양미술사』를 비판적으로 읽어보는 강의를 꽤 오래전부터 하고 계시잖아요. 최근에는 유명 팟캐스트 프로그램에도 나오고요. 강의는 어떻게 들으셨어요?

경여 곰브리치 서술의 오류를 바로잡는 강의를 작년부터 계속하고 계시죠. 책에 기술된 도상을 다른 각도에서 살펴보기 위해 풍부한 자료를 많이 보여주는 강의예요. 줌으로 하는 강의를 한 번 들어볼 기회가 있었는데요. 결론은 이런 도상들을 곰브리치식으로 단정적으로 이해할 필요가 없다는 거예요. 제가 들어본 수업 중에 특히 흥미로웠던 부분은 아까 이야기했던 미켈란젤로의 논 피니토에 대한 부분이었어요. 분명 재현의 방식과 관련이 있는 작품임에도 곰브리치는 다루지 않았지요. 곰브리치가 놓쳐버렸거나 잘못 서술하고 있는 것들을 조목조목 살펴보게 되니까, 강의를 꾸준히 들으면 미술사 지식을 풍부하게 쌓을 수 있겠더라고요.

지연 저는 그중에서 단축법에 대해 강의를 들었는데요. 이집트처럼 과거에도 단축법이 활용된 사례들을 도판으로 백여 장은 본 것 같아요. 곰브리치의 오류를 그 뒤의 다른 미술 책 저자들이 그대로 답습하다 보니 오류를 반복하고 있다고 지적했던 부분도 기억에 남아요.

경여   그런데 그런 방식으로 읽다 보면 '미술사는 없다'는 생각이 들어요. 그런 표현은 이전에도 있었다, 이것을 증명하는 게 무슨 의미일까요? 한 시대에 한 가지 표현만 있었겠어요? 이런 것도 있고 저런 것도 있었겠지요. 지배적인 미적 패러다임이 된 표현 방식이 어떻게 변화되는가, 이것이 중요하죠. 예전에도 있었다는 말로는 아무것도 설명하지 못해요.

지석   오류를 지적하는 것은 이 책에 어울리지 않는다고 생각해요. 다만 저로서는 곰브리치가 좀 아쉽게 느껴지는 부분이 있어요. 미술사를 좀 하드하게 만든다고 할까…… 심리학, 자연과학 등을 끌어들여 미술사를 기계적으로 만들거든요. 곰브리치의 관점은 자연과학적인 접근 틀을 갖고 있어요. 그것이 밖으로 드러나지 않게 아름다운 수사법을 사용하기도 하고, 바사리도 덧붙이고 셰익스피어도 끌어들이지만, 서술의 과정이 너무 명쾌해요. 복잡하고 알 듯 말 듯한 것들을 굳이 명쾌하게 정리하면서 생겨난 허전함 같은 거. 저는 이 책의 가장 아쉬운 점이 그런 허전함이었어요. 통찰이 생기기는 하는데, 너무 명쾌해서 허전해요.

미정   하지만 명쾌하기 때문에 독자들에게 어필할 수 있었던 건 아닐까요?

지석   복잡한 것을 명쾌하게 이야기하는 게 베스트셀러 저자의

〈라오콘과 그의 아들들〉, 로데스의 하게산드로스, 아테노도로스 및 폴리도로스, 대리석 군상,
기원전 175~50년경.
헬레니즘 미술 중에서 최대의 명성을 가진 〈라오콘〉 군상에 대해 곰브리치는 "검투사들의
싸움과 같은 끔찍스러운 장면을 좋아하는 대중들에게 어필하기 위해 만들어진 미술이 아닌가
하는 의심을 버릴 수 없다"고 썼다.

특징인가 봐요. 반복해서 서술하면서 명쾌하게.

소영　베스트셀러를 쓰려면 곰브리치처럼, 이런 거죠.

경여　어쩌다 보니 저는 계속 곰브리치를 까는 쪽이 되었네요? 장점도 많은 책인데 말이죠. 저는 이 책에서 헬레니즘 미술을 설명하는 부분이 매우 인상적이었어요. 곰브리치가 말하는 헬레니즘이 상당히 현대적이라는 생각이 들었어요. 헬레니즘은 기이하고 무서운 걸 좋아하는 당대 로마인들의 취향이라고 설명하면서 글래디에이터를 예로 들거든요. 스펙터클한 퍼포먼스가 주류인 사회에서는 고요한 미술은 어필할 수가 없지요. 그러고 보면 현재 우리는 헬레니즘적 취향 속에서 살고 있는 게 아닐까요?

미정　아르놀트 하우저의 『문학과 예술의 사회사』에도 거의 똑같은 부분이 있어요. 헬레니즘의 배경이 되는 세계시민주의라는 의식도 지금과 연결해볼 수 있죠.

지석　헬레니즘은 근대에 생겨난 개념이에요. 헬레니즘의 틀을 정립한 사람이 요한 구스타프 드로이젠Johann Gustav Droysen이라는 학자인데요. 헬레니즘으로 인해 고대 그리스 미술을 새롭게 바라볼 수 있게 되었죠. 하우저와 곰브리치도 그 영향을 받았다고 할 수 있어요.

경여　그렇군요. 지금의 미술은 스펙터클밖에 없구나, 이런 생각을 했어요.

소영　여기 오기 전에 국립현대미술관에서 멀티버스 작품을 감상하고 왔어요. 35분짜리 VR 작품인데 한 번에 세 명만 참여할 수 있어요. 운이 좋아서 관람했지, 예약하기 어려운 작품이라고 하더군요. 극소수의 사람들만 이 작품을 감상할 수 있는 거죠. 이런 작품이 얼마나 많을까요? 곰브리치는 원화를 보아야만 제대로 감상할 수 있다는 점을 몇 번이고 반복해서 이야기합니다만, 이제 그런 일은 불가능하지 않을까 싶은 생각이 들어요. 미술 비평을 직업으로 하는 전문가라고 해도 말이죠. 작품이 너무나 많고 다양해요. 또 어떤 작품은 특수한 전시 환경을 요구하기 때문에 작품이 태어난 순간부터 이미 사라진 유적처럼 다뤄질 수밖에 없는 경우도 발생하죠.

이렇게 방대하고 다채로운 예술 작품의 세계가 어떻게 역사로 기술될 수 있을까요? 요즘 미술에서 아카이빙이 굉장히 중요하게 다뤄지고 있는데, 이런 관심은 한편으론 시각예술을 기록하고 평가하기가 점점 어려워지고 있다는 의미인 것 같아요. 시각예술은 평가가 불가능한 장르가 되어 가고 있는 게 아닐까요?

경여　미술 자체가 정적으로 바라보는 일정한 시각을 벗어난 거 잖아요. 지금 이야기하는 것은 미술의 패러다임이 체험과 몰입이라는 개인적 경험의 문제로 상승하는 거니까, 하나하나 작품의 미적인 것을 따지는 것은 의미가 없어져요. 그러니 시각적인 부분으로 비평하는 것보다는 그런 시도가 우리에게 무엇을 가져다주는가, 그것이 중요해지죠. 체험과 쾌감에서 어떤 경지가 달라졌느냐, 인지과학에서 어떤 성취를 얻었느냐 등 기존의 미술 비평과는 다른 받침대에서 바라봐야 하는 건 아닐까요?

소영　공연도 미술만큼 길고 방대한 역사를 갖고 있지만, 미술사처럼 체계적으로 정립된 학문을 갖지 못했어요. 기록이 어려운 장르의 특성 때문이었겠지요. 지금 시각예술이 처한 상황도 그렇지 않을까 하는 생각이 들어요. 기록 매체와 기술이 비약적으로 발전했지만, 그럼에도 이 방대한 시각 문화를 과연 제대로 기록하고 평가할 수 있을까 의심스러워요.

경여　지금은 과도기라고 생각해요. VR 같은 방식이 예술계에서는 새로운 표현 수단이기 때문에 활용하고는 있지만 아직 만개하지는 않았다고 봐요. 특정 미술관에 가서 보는 게 아니라 유튜브든 뭐든 안방에서 소화할 수 있을 정도는 되어야 뭔가 대단한 것이 등장하지 않을까요? TV라는 미디어를 통해서도 VR을 체험하게 되는 날을 기다려보자고요.

소영　미술은 서로에게 좋지 않은 말을 하지 않아요. 미술은 무엇이든지 받아들일 수 있는 장르로 여겨져서 한 세기 이상 그렇게 흘러왔죠. 미술관에 가장 어울리지 않는다고 생각하는 것조차 당당히 미술관에 입성하게 된 시대랄까. 그렇다면 최소한 심미적인 기준이라도 있어야 하는데 그것마저도 질문하지 않게 되었거든요. 게다가 기술과 결합하면서 점점 오리무중이에요. 이것은 실험도 아니고 저항도 아니고 어쩐지 허접한데 미술관에 있으니까 예술이구나, 하고 감상하는 식이지요. 이런 상황에서 비평이 가능할까요?

연식 근본적인 물음을 던질 수도 있죠. 그런 매체가 주류가 된다면 그때는 글이 가능할까와 같은.

경여 시각 체계를 극대화하고 싶다는 욕망이 표출되면 매체의 속성도 완전히 달라질 것 같아요. 현실적으로 나를 얼마나 자극하는지 그 몰입도에 대한 평가도 있을 수 있죠. 몰입의 정도를 별점 매기기 하는 방식으로?

연식 사실 비평의 시도는 계속되고 있죠. 대단히 산발적이지만 줄기차게 이루어지고 있어요. 요즘 영화 유튜버들이 많아졌잖아요. 저도 유심히 살펴보고 있는데요. 이런 콘텐츠에서는 평가의 절대적인 잣대가 영화의 개연성이에요. 얼마나 말이 잘 되게 끌고 가는지 이런 부분. 영상 자체에 대한 비평은 어려운 작업이니까 언급도 안 하죠.

늘 매체는 앞서 나가고 비평이 질질 끌려가고 있는 형국이죠. 인간을 사로잡을 새로운 매체를 만든 사람은 저만치 앞에 가 있을지도 모르죠. 그리고 그런 사람은 비평이 어떻든 상관하지 않을 거예요. 1990년대 말에 영화를 둘러싼 담론이 크게 성행했는데 지금 보면 담론이 영화를 따라갈 수 있었던 시기는 그때가 마지막이었어요. 지금은 담론이 영화를 놓쳤어요.

소영 데이터의 절대적인 수가 너무 많은 거죠. 책 한 권으로 만들어질 정도의 생산량이어야 비평이 가능한데, 지금은 왓챠, 넷플릭스, 유튜브 오리지널 등등 채널이 너무 많아요. 그런 관점에서 보면 현대미술을 누가 비평할 수 있을까요?

지석　곰브리치의 『서양미술사』를 지금 이야기해야 하는 이유가 그 점에 있을 거라고 생각되네요. 동시대를 제대로 서술할 수 있느냐는 질문은 성립되기 어려워요. 살기도 바쁜데 서술하고 관찰하기란 매우 어려운 일이죠. 우리 시대에 적합한, 나의 체험에 적합한 미술사가 무엇인가, 우리 시대의 경험에 맞게 과거를 어떻게 서술하는가, 그것을 질문하고 찾아가는 과정이 관건이 아닐까요?

곰브리치가 제시했던 미술사는 당시 현대인의 삶에 적합한 미술사였던 것 같아요. 바사리와 빙켈만의 시대와 달리, 사람이 세상을 다르게 지각하는 시대가 됐는데 그 시대에 비추어 곰브리치의 방식이 촌스럽지 않았던 거죠. 한국미술사든 서양미술사든 새로운 미디어 체계가 지배하는 시대의 미술사는 지금까지와는 달라야 한다는 점에 동의합니다. 다만 현재를 어떻게 서술하고 관찰할까,가 아니라 과거의 서술을 바꾸는 실천 행위를 통해서 현재를 만들어가는 부분도 있겠지요.

예선　현대를 기술하기에 앞서, 지금의 것들을 어떻게 잘 모아둘지 아카이빙의 방식도 중요하겠어요.

소영　우리 시대는 과연 어떻게 서술될까요? 게임이건 VR이건, 가상의 경험이 이렇게 활발하고, 여러 개의 세계가 무수히 중첩된

28

끝이 없는 이야기

모더니즘의 승리

이 책은 2차 세

당시에 내가 마

초판에 실린 도

이 흐름에 따라

구가 생겨난 것

실 제11판에서

1966)이라고 불

표제를 〈끝이 없

지금에

처음 구상했던

다는 것을 깨닫

아니다. 결국 ㅁ

영해온 것을 상

것이다. 가령, 5

우아한 숙녀들(

판 298)가 그렇

그러나

히 매력적으로

지나가버렸는기

려하게 치장한

스케스에 의해

물로 보였을 것

는 조슈아 레c

받았을 것이다

소위 '

격을 주려는 ㄷ

현실이 과연 기술될 수 있을까요? 이 세계는 영원히 끝나지 않을 것 같고 너무 광대해졌어요. 많은 사람들이 너무 많은 걸 생산하고 있어요. 세계가 너무 많아요.

☆ ☆ ☆ ☆ ☆ ♩♪~

나, 곰브리치

나의 살던 고향은~
세기말의 빈 --
이웃에는 프로이트
말러는 엄마 친구

→ young한 곰브리치

1909 ~ 2001

빈학파의
일등 제자였죠~ 롤루
런던 바르부르크 연구소
소장했고요~

1950년생

THE STORY OF ART
E.H. GOMBRICH
서양미술사

70년 넘게
이글이글
식을 줄 모르는 인기!

이 분은
학문계의
금수저

오~!
그래서
이름이
리치구나!

호잇
800만 부?

이 책 있는 사람?
저요!
저요!
저요!
저요!
저도 저도~!

고침단명 ......

이 책 읽은 사람?

금 과묵 돌 된 나

책인가 돌인가...
휴대 불가능

난 프로이트 ♪♪

공선생 어서 오게~
이웃사촌 어게인

어디가심?

검은~ 검은~

1939 영국으로~

잘 알씀~

1972년 기사 작위 득

이제부턴
영어로 써야 해
흑~힝

PHAIDON

공 선생, 이리 오게~
월드 베스트셀러의 세계로 갑시다

공 선생님
저도 각오는
되어 있슴다!

윽 ㅆㅏ

텡!

500 찍고 300 더
800만 부 ㅋㅋ

16 번째...

개정판 서문 쓰느라
새 책 쓸 시간이 없엉 없엉

시리야......
이제 넥스트 곰브리치가
와야 할 때란다.

저를 부르셨나요?
저는 넥스트 공부 부자에 대해
잘 알지 못해요.
걍 내일의 날씨를 말씀드릴게요.

시리 후져요. 저 쓰세요~ 저요~!

©이소영

nt as its rep

ative ideas diffe

at ative

young man in the town of Goats K

his bed the whole day till his mother-

went away and decided to slay a mo

umans and whales. With the help o

nk and dangled two children over it

e young man dressed in its skin and

left on his critical mother-in-law's

unexpected offerings that she thou

When the young man undeceived

she died.

participants in this st

low the entra

about

AI 시대의 곰브리치를 묻다
이소영

신입 전공자와 경력 비전공자, 『서양미술사』를 말하다
홍지연

AI 시대의
곰브리치를 묻다

이소영

올해 초 오랜만에 교보문고 광화문점을 찾았다. 코로나 바이러스가 기승인데 혹한까지 닥쳐 바깥은 황량했지만, 서점 안엔 지나는 이들의 어깨가 부딪칠 정도로 사람이 많았다. 예술 베스트셀러 코너에는 에른스트 곰브리치의 『서양미술사』가 7위 자리에 놓여 있었다. 예경 출판사에서 펴낸 곰브리치의 『서양미술사』는 출간 이후 교보문고의 예술 분야 연간 베스트셀러 목록에서 30위 밖으로 밀려난 적이 없다. 한 해 버티기도 힘든 베스트셀러 목록에서 20여 년이나 상위권을 유지하고 있는 것이다. 그러니 이 책의 존재감은 확실하다.

그런데 고전의 힘이라고 감탄하기엔 개운치 않다. 어느 분야나

고전은 안정적으로 팔리지만, 매년 베스트셀러 목록에 오르며 압도적인 판매량을 자랑하는 경우가 있던가? 수많은 책들이 명멸하는 출판계에서 이토록 오래 한 분야를 장악한 책이 있다는 것을 어떻게 해석해야 할까? 이 책은 고전이라기보다는 예술 세계로 입문하는 '교과서'에 더 가깝다. 우리 사회에서 미술사, 특히 '서양미술사'는 읽고 즐기기보다는 '공부'하는 자세로 접근하는 분야라는 얘기다.

그러나 미술사와 관련해 국내외 저자들이 발행한 교과서형 책들이 수두룩함에도 불구하고, 1950년에 처음 출간된 곰브리치의 『서양미술사』가 지금까지도 발휘하고 있는 영향력은 불가사의하다. 도판이 추가되고, 후기 격인 장이 덧붙여졌지만 본문의 내용은 변함없이 그대로인데 말이다.

이 책의 탁월함과는 별개로 미술사라는 학문이 봉착한 어떤 위기가 곰브리치를 대체할 '선수'를 키우지 못했기 때문은 아닐까. 그러니까 미술사학자 중에 어느 누구도 더 이상 미술의 역사를 '하나의 줄기'로 엮어 이야기로 만들려는 야심을 품지 않아서, 혹은 시도했더라도 성공하지 못했기 때문이 아닌가 말이다. 위기가 미술사에만 찾아왔을 리 없다. 이것은 역사라는 학문 전체에 닥친 일이리라.

미술사의 구원 투수는 AI?

E. H. 카의 『역사란 무엇인가』는 제목만은 확실히 각인된 책이다. 시대의 소명을 찾는 젊은이들은 종종 이 의문문을 '역사를 위해 싸우라'는 명령형으로 해석했다. 역사란 무엇인가?라는 질문은 역사의 중요성을 의심하지 않는다. 그래서일까? 이 문장에는 낭만적인 울림이 있었다.

하지만 20세기를 다 흘려보낸 지금에 와서 역사를 대하는 태도는 시니컬해진다. 답을 찾겠다는 결기 대신 '역사가 가능한가?'라고 빈정대며 받아치게 된다. 과거는 무엇으로 설명할 수 있는가? 왕도 천재도 민족도 국가도 더 이상 우리가 지나온 세계를 설명할 뼈대가 되지 못한다. 태정태세문단세를 노랫말로 외우는 역사는 고속도로처럼 한 시대를 뚫고 지나가는 빠른 길이었을 뿐이다. 그런 역사는 결코 지나온 세계를 다 보여줄 수 없었다. 역사는 구멍투성이였고, 올바르지 않았다. 게다가 현재는 어떤가. 2021년의 세계는 푹 퍼진 슬라임 같다. 넓고 평평하고 쉽게 흔들리지만 좀처럼 움직이지 않는다. 과거에서 날아온 화살들은 이 끈적거림을 통과해 미래로 가지 못한다. 미래를 가정할 수 없는 채로 역사는 가능하지 않을 것이다.

미술사에서 새 흐름을 만들 구원 투수는 미술사학'자' 누군가가 아니라 '인공지능(AI)'이라는 기술인지 모른다. 이세돌을 꺾었던 알파고의 친구들 말이다. 유통이나 금융 등 산업의 다른 분야에 비해 미술은 데이터 혁명의 파도가 제대로 몰려오지 않았다. 저작권 문제 등 미술 분야의 데이터화에는 넘어야 할 산들이 있다. 그렇지만 법률 전문 AI로 판례를 검토하는 로스[Ross]나 의료 현장과 보험회사의 업무 파트너가 된 왓슨[Watson], 자율주행차 운영체계인 웨이모[Waymo]처럼 미술계 역시 실전에 투입될 기술들을 준비하고 있다.

시장에서 주목해볼 기업은 소더비다. 소더비는 지난 2016년에 제임스 마틴[James Martin]이 이끄는 '오리온 애널리티컬[Orion Analytical]'을 인수했다. 이로써 소더비는 미술품 경매 회사 중에서는 처음으로 본사에 최첨단의 보존 과학 실험실을 갖춘 회사가 되었다. 제임스 마틴은 2017년에만 1억 달러 이상의 예술품을 조사해 그 작품들에 사용된 원료와 성분을 분석했다. 이어 2018년에는 스포티파이 출신의 개발자 아마드 카마르[Ahmad Qamar]와 앤드루 슘[Andrew Shum]이 세운 '스레드 지니어스[Thread Genius]'를 인수했다. 소더비는 이들이 개발한 패션 분야의 검색 엔진을 시각예술 분야에 적용하려고 한다. 소더비에는 1875년부터 2000년까지 2회 이상 거래된 미술품의 낙찰가와 거래 실적을 추적한 5만여 건의 데이터와 그를 바탕으로 만든 메이 모제스 미술 지수[Mei Moses Fine art Index]가 있다. 소더비는 이 데이터를 활용할 기술을 얻은 것이다. 소더비는 과학 기술이 다음 시대의 미술 시장을 이끌 경쟁력이라고 확신하는 것 같다.

AI, 그림을 넘어서 미술사를 넘보다

인공지능 소프트웨어를 이용해 고흐나 뭉크풍으로 그린 그림은 더 이상 놀라운 일이 아니다. 소더비나 크리스티 경매에는 이미 인공지능이 그린—정확하게는 인공지능 소프트웨어를 이용해 작업한—작품들이 팔리고 있다. 인공지능이 화두가 된 뒤로 사람들은 인공지능이 인간과 겨뤄 이길 것인지를 궁금해했지만, 그 질문은 인공지능 기술을 가진 인간을 평범한 한 인간이 당해낼 수 있는가라고 물어야 정확해진다. 그리고 인공지능 기술을 가진 인간이란 그 기술을 개발하고 발전시켜 나갈 인간'들'이기 쉽고, 대개 자본과 설비를 갖춘 기업이나 기관 같은 집단이리라 짐작할 수 있다. 특출한 능력을 가진 인간이라도 집단과 대적해서는 승산이 없는데, 평범한 사람들이야 어떻겠는가. 뻔한 답이 정해져 있는 질문이다. 이기고 싶다면 인공지능 기술이 있는 팀에 들어가라!

과학기술의 발전에 따라 새로운 창작의 도구가 개발되는 것은 시각예술 분야에서 그리 새로운 일이 아니다. 인공지능이 창작의

▲ 반 고흐, 〈별이 빛나는 밤〉, 1889년.

▼ 레온 가티스Leon Gatys 박사가 AI에게 〈별이 빛나는 밤〉을 학습시킨 후 독일 튀빙겐 지역의
   네카어 강을 그린 작품.

도구로 사용될 수 있음은 의심의 여지가 없다. 인공지능 기술은 목탄이나 파스텔, 유화 물감처럼 창작 활동을 하는 사람들이 쓸 수 있는 도구의 하나로 자리 잡을 것이다. 다만 한때 서양미술 세계를 호령했던 유화같이 절대적인 존재가 될 수 있을까? 그것은 아직까지 확언할 수 없는 일이다.

하지만 '평가'에서는 어떨까? 다시 말하자면 곰브리치 같은 미술사가들의 영역에서도 기술은 새로운 도약의 계기가 될 수 있을까? 연구자들은 인공지능을 이용해 예술 작품을 평가하는 과제를 시험해보고 있다. 다빈치의 〈모나리자〉나 반 고흐의 〈해바라기〉 같은 작품은 정말로 탁월한 창작물이기 때문에 유명한가, 아니면 미술관의 권위나 미술사의 평가, 유명세 때문에 그런 자리에 있게 된 것일까?

지난 2015년 럿거스Rutgers 대학교 연구팀은 서양미술사에 등장하는 6만 2천 건의 주요 이미지들을 대상으로 인공지능에게 창의성을 평가하게 했다. 이전까지 없던 혁신성을 가졌으며, 이후 다른 작품들에 미친 영향력을 기준으로 한 인공지능의 평가는 인간 학자들의 평가와 크게 다르지 않았다.

2018년 코넬 대학교 연구팀은 7만 7천 건의 디지털 그림 자료를 이용해 기계의 눈으로 본 미술사를 실험했다. 기계는 학습된 몇 가지 요소들을 기반으로 스타일을 예측하고 작품을 연대순으로 배열할 수 있었다. 연구자들은 기계 학습의 결과물에서 양식사의 대가인 하인리히 뵐플린의 다섯 가지 주요 시각 원리를 확인할 수 있다고 밝혔다. 이 연구의 의의는 미술사의 양식들이 '계산 가능'하다는 걸 입증한 데 있다. 이제까지의 미술사가 주관적인 판단에 의거한 학문이었다면, 앞으로는 데이터에 기초한, 계산할 수 있는 과학의 영역으로 넘어갈 가능성이 열린 것이다.

곰브리치는 미술사를 과학으로서 진지하게 다뤄야 한다고 주장했던 '빈학파'의 일원이다. 물론 곰브리치가 '미술사는 곧 과학'이라는 단순한 주장을 펼치지는 않았지만 그 전통의 후계자로서 자신을 자랑스러워했다. 만약 지금 시대에 곰브리치가 대학에서 박사 학위 과정을 밟고 있었다면 그는 이런 기술적인 접근을 어떻게 보았을까? 예술과 과학을 별개로 여기지 않았던 패기만만한 젊은 학자 곰브리치는 예술 분석용 API^{Application Programming Interface}를 이용해 인공지능에게 자기 이론을 검증해보도록 시키고 있지 않을까?

AI가 열어줄 새로운 미술사

인공지능이 법률, 의료, 금융의 도구가 될 수 있다면 방대한 사료를 검증해야 하는 역사가의 도구가 되지 못할 이유가 없다. 시간의 강에 흩어져 있는 무수한 점들을 엮어 새로운 이야기를 만들어내기 위해 인간이 할 일은 인공지능에게 더 많은 데이터를 제공하는 것이다. 그것이 인공지능이 써줄 새로운 역사, 새로운 미술사를 위한 조건이다.

과학기술을 기반으로 새로 쓸 미술사에는 어떤 것이 있을까? 이제까지 소수의 유명 작품들, 훼손이 심각한 작품들만을 대상으로 이뤄졌던 예술품의 성분 분석과 영상 촬영은 전 작품을 대상으로 점차 폭이 넓어질 것이다. 영국에서는 대학, 미술관, 기술 전문가 등이 대거 참가해 자국이 보유한 미술품 전체에 대한 성분 분석을 통해 미술품 관리와 연구를 위한 데이터를 확보하는 인공지능 프로젝트를 진행하고 있다. 충분한 데이터가 쌓이면 육안으로는 식별되지 않는 성분 및 그림의 물감층 등에 따라 작품의 새로운 분류가 생겨날 수 있다.

뉴욕 메트로폴리탄 미술관은 인공지능 기술을 이용한 해커톤 hackathon•을 개최하고 있는데, 그 과제들이 흥미롭다. 박물관이 소장한 유물은 그 시대가 생산한 것 중 극히 일부에 지나지 않는다. 그렇다면 박물관에 소장되지 않은 사라진 물건들은 과연 어떤 것들이었을까? 소장된 유물들의 형태 변형을 추적하면 형태들 사이에서 빈자리가 모습을 드러낸다. 그 빈자리의 규모와 형태를 가늠해보는 작업은 이제까지 존재하지 않았던 과거를 발굴하는 일이다. 박물관의 미래에 호기심이 생기지 않을 수 없다.

인공지능이 창작자는 물론 평론가와 역사가에게도 엑셀이나

● 해킹hacking과 마라톤marathon의 합성어로 한정된 기간 내에 기획자, 개발자, 디자이너 등의 참여자가 팀을 구성해 쉼 없이 아이디어를 도출하고, 이를 토대로 앱, 웹 서비스 또는 비즈니스 모델을 완성하는 행사.

지난 2018년 12월, 메트로폴리탄 미술관과 마이크로소프트, MIT가 함께 주최한 해커톤. 이틀 동안 열린 이 대회에서는 인공지능이 어떻게 사람을 예술과 연결시킬 수 있는지를 탐구했다.

파워포인트처럼 당연한 도구가 될 날이 올 것이다. 그러나 빅데이터를 바탕으로 한 이 기술은 본질적으로 과거보다는 미래를 보려한다. 곰브리치는 '현재의 미술'에 대해 쓰는 것은 불가능하다고 했다. 하물며 미래의 미술을 예측하는 일이야 말할 필요가 없다. 하지만 인공지능은 다르다. 아트파인더 같은 서비스는 전 세계 창작자들의 작품과 고객의 요구를 분석해 시장에서 팔릴 수 있는 작품의 트렌드를 제공하겠다는 포부를 밝히고 있다. 세계의 미술

시장에서 오늘 팔린 작품과 조회되는 이미지, 사람들이 갤러리, 미술관에서 찍어 올린 사진들과 '좋아요'를 누른 횟수 등 온갖 데이터를 종합해 내일 팔릴 작품을 알려주겠다는 것이다. 이제 작품을 의뢰하는 이는 왕이나 귀족, 부유한 개인이나 기업이 아니라 데이터다.

오늘날의 과학기술 만능 시대는 과학이 미래를 예측하는 능력을 통해 이룩된 것이다. 한때 주술가와 종교인들이, 또는 혁명가와 사회과학자들이 담당했던 역할들, 현재에서 미래로 한 발 내딛기 위해 방향을 제시하고 사람들을 움직이게 했던 역할을 이제는 과학이 맡고 있다고 해도 과언이 아니다. 과학은 단언하지 않지만, 검증 가능한 설명과 예측을 통해 현재를 장악했다.

SF 작가 윌리엄 깁슨이 인터뷰 중에 남긴 "미래는 이미 와 있다. 단지 널리 퍼져 있지 않을 뿐"이라는 말은 이제 식상하다. 미래는 이미 와 있고, 널리 퍼져 있고, 현재를 다 잠식했다. 그래서 역사를 쓰는 일은 더욱더 어려워 보인다. 결국 곰브리치의 『서양미술사』가 더 이상 개정되지 않는, 최후의 교과서가 되는 것이 아닐까.

신입 전공자와 경력 비전공자,
『서양미술사』를 말하다

홍지연

미술사를 어떻게 생각해?

지연　우리 오늘은 미술사에 대한 이야기를 나누어볼까? 유정이
는 미술사라는 학문을 어떻게 생각해?

유정　처음에는 미술사가 다른 역사 과목처럼 외워야 할 게 많다
는 선입견이 있었어. 물론 미술사에도 학자의 견해가 들어 있지
만 철학보다는 좀 더 객관적인 분야인 것 같았거든. 아마 대부분
의 사람들이 나와 같은 생각을 할 거야. '미술사 입문'을 수강하기
전에 나는 세계사에 대한 지식이 부족하다고 생각해서 심지어 한
달 동안 세계사 인강을 들었거든.

현업에서 미술에 관여하는 경력 비전공자 지연과 대학에서 미술을 전공하는 신입 전공자 유정. 두 사람은 엄마와 딸이다.

지연 그랬구나. 나는 역사가 사실로서의 역사가 아니라 기록으로서의 역사라고 생각했기 때문에 미술사도 객관적 정보라기보다는 주관적인 견해로 받아들였어. 왜 그런 거 있잖아. 미술사 책을 읽으면서 나는 저자와 다른 견해를 발견해낼 것이라는 거만한 태도.

유정 역사는 기록되는 것이니까 쓰는 사람의 주관적인 견해가 들어갈 수밖에 없지. 하지만 객관성도 중요하다고 생각해. 주관적이기만 하면 학문으로 성립되기 어려운 게 아닐까? 역사도 주관이 들어가긴 하지만 그 정도가 다른 학문에 비해 덜하다고 생각해. 수능시험의 사회탐구 과목을 선택할 때도 복잡하게 이리저리

해석될 여지가 있는 게 싫다고 하는 애들은 '세계사'나 '동아시아사'를 선택해서 외우고 끝내거든. 반면에 그런 완전 암기보다는 읽고 해석하고 판단하는 것이 좋다고 하는 애들은 '윤리와 사상'이나 '생활과 윤리'를 선택하지. 나는 역사가 어느 정도 객관적인 결이 있다고 생각해.

지연　그래? 그렇다면 예술학과에서 전공 과목으로 처음 배운 미술사는 어땠니? 그동안 네가 느꼈던 역사 과목과 비슷했는지 아니면 차이가 있었는지 궁금하다.

유정　나는 미술사를 진짜 단순하게 '미술의 역사'라고 생각했어. 동굴 벽화에서 시작해서 도구나 기법이 달라짐에 따라 미술 양식이 변하고, 그 폭이 넓고 다양해지면서 장르를 규정하기 힘든 오늘날의 현대미술까지 이르게 되는 일련의 역사라고 생각했지. 그런데 미술사 입문 강의 첫 시간에 교수님이 하신 질문 때문에 내 생각에 균열이 왔어. 교수님은 미술사가 뭐냐는 질문을 하셨고, 우리는 '미술의 역사'라고 답했지. 그런데 우리의 대답이 반은 맞고 반은 틀리다고 하시더라고. 미술을 소재로 하니까 미술의 역사인 것도 틀린 말은 아니지만 보다 정확하게는 '미술 인식의 역사'라고 하시는 거야. 그 말을 듣고 미술의 역사나 미술 인식의 역사나 둘 다 비슷한 게 아닌가 생각했어.

　　그런데 한 학기 동안 공부해보니 작품의 창작과 감상의 인식이 사슬처럼 이어지는 것이 미술사였어. 인식의 변화를 역사라는 시간성으로 읽어가는 과정을 경험하면서 내가 처음 가진 생각은 미술의 내재적인 의미나 인식은 배제하고 객관적으로 보이는 것들의 변화 과정만을 본 것이라는 생각이 들더라고. 미술사는 다른 역사랑 다른 점이 확실히 있어. 일반적인 역사는 유물 출토지에서 조그마한 뼛조각이나 그릇 같은 것이 발굴되면 그곳에 있던 유물들 하나하나를 모두 넘버링해서 보존단의 손길을 거쳐 박물관에 보관하지. 그런데 미술은 일단 경계부터가 애매해. 지금도 수공예품을 미술로 인정할지 여부에 대해 논란이 많잖아. 예를 들어서 뒤샹의 〈샘〉을 보고 그 당시 사람들은 저게 미술이냐고 했는데 지금은 그것이 미술이 아니라고 하는 사람은 없는 것처럼.

지연　맞아. 콘스탄틴 브란쿠시의 〈새〉도 미국에 들여올 때 미술품으로 인정되지 않았지. 소송까지 해서 결국에는 미술품임을 인정받았지만. 그렇게 생각하니 미술의 경계가 참 모호하네.

유정　그것이 유물과 미술품의 차이라고 생각해. 역사는 유물을 가지고 시대의 흐름을 논하지만 미술사는 인식의 과정을 논하는 것이니 다를 수밖에 없는 거지.

지연　미술사의 매력은 객관적인 사실을 나열하는 것에 그치지 않고 비평가나 대중의 해석 같은 주관적인 의견이 드러난다는 거야. 그래서 작품마다 그것의 역사적인 배경과 미술사가와 미학자의 시선이 어우러져 있잖아.

유정　저번에 내가 얘기했던 것 기억나? 중국의 오래된 무덤에서

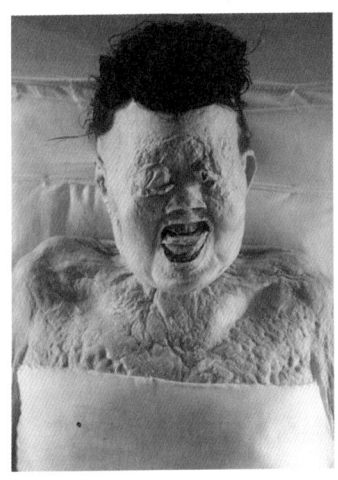

1972년에 발굴된 마왕퇴 한묘의 여성 미라(왼쪽)와 이를 재현한 여성의 모습(오른쪽).

발굴된 비단에 싸인 미라 말이야. 1972년 발굴된 마왕퇴 한묘에 여성의 미라가 있었는데 2천 년의 세월이 흘렀음에도 불구하고 보존 상태가 너무 좋아서 피부에 탄력도 있고 혈관도 보였대. 심지어 지문도 남아 있었어. 중국에서는 이 미스터리한 미라와 유물이 출토되자마자 이에 대한 연구를 활발하게 진행했어.

그런데 이것을 미술사 수업에서 배울 때는 지체 높은 여성이라고는 이야기했지만 유적에 대한 역사성은 그다지 언급하지 않았거든. 그보다는 여자가 들어 있던 관의 문양 그리고 그 여자를 싸고 있던 비단에 찍힌 문양에 초점을 맞췄지. 천상계과 지상계가 그려진 비단과 무덤의 부장품을 통해 여자가 이승에서 누리던 부와 명예를 저승에 가서도 누릴 수 있도록 그녀가 현생에서 쓰던 것들을 관에 재현했다고 분석했지. 그런데 역사적인 사건에 초점을 맞추는 사람은 화려한 무덤의 주인인 그 여자가 대체 어떤 지위를 가진 인물이었는지가 더 궁금한 거지. 그러니까 역사가보다 미술사가는 작품 해석을 더 주관적으로 할 수 있는 게 아닐까?

곰브리치의 『서양미술사』는 어떻게 읽었어?

지연　나는 곰브리치의 『서양미술사』를 읽으면서 다른 미술사 책과 사뭇 다르다고 느꼈어. 시간의 흐름에 따라 그 시대의 대표 작품들을 죽 나열해놓은 것이 아니라 저자 자신의 생각을 툭툭 던져놓은 에세이 같았거든. 미술사에 대한 정보 전달보다는 할아버지가 옛날이야기를 해주는 것 같은 푸근함이 느껴졌지. 읽는 내내 곰브리치가 나에게 "너는 어떻게 생각하느냐?"라고 묻는 것 같았어.

유정　나도 그랬어. '서양미술사'는 다른 역사서에 비해서 미술사는 어떻게 묶고 어떻게 서술하느냐에 따라 판이하게 달라져. 곰브리치는 고증하기 위한 미술사가 아니라 자신이 들려주고 싶은 미술 안내서이자 미술 이야기를 만든 것 같아. 그래서 제목도 History가 아니라 Story인 것이 아닐까?

지연　오, 예리한데. 제목에서 저자의 의도를 파악하다니. 이 『서양미술사』는 약 70년 전인 1950년에 출판된 책인데도 아직까지 미술 교양 도서 순위 10위 안에 늘 있어. 그리고 내가 방문했던 작가들의 작업실이나 미술 전공 교수님들의 연구실에 가보면 이 곰브리치의 『서양미술사』가 대부분 책장에 꽂혀 있더라고. 그런 것을 보면 이 책이 이 분야의 대표적인 서적임에 틀림없다는 생각이 들어. 이십 대인 너에게 이 책은 어땠어?

유정　우리 학교는 미대가 유명하다 보니까 미대 게시판이 많이 활성화되어 있어. 그 안에서 미대생들과 타과생들이 전공에 대한 정보나 조언을 주고받거든. 거기에 종종 올라오는 글이 있어. "예술학과 학우님들!" 이러면서 "미술에 관심이 생겨서 미술을 이해할 수 있는 책을 한 권 읽고 싶은데 마땅한 책을 추천해주세요"라고 하거나 "예술학을 부전공으로 하려는데 진입하기 전에 읽어야 하는 책이 무엇일까요?"라고 묻는 사람들이 있어. 바로크 미술이나 다다이즘 같은 미술 사조를 잘 모르겠으니까 한 권만 읽으면 그런 것이 이해될 수 있는 책을 찾는 거야.

　그런데 사실 그게 불가능한 욕심이잖아. 어떻게 한 권만 읽고 다 알아. 재미있는 것은 이렇게 욕심쟁이 같은 요구에 항상 맨 처음에 달리는 댓글이 "곰브리치의 『서양미술사』를 읽으세요"야. 아마도 그 댓글을 단 사람은 예술학과가 아닐 거야. 왜냐하면 예술학과 전공생들도 곰브리치의 『서양미술사』를 제대로 완독한

『서양미술사』를 비롯한 다양한 미술사 방법론 책들.

사람이 별로 없을 테니까.

지연   타과생의 섣부른 진입을 막기 위한 세련된 계책 같은데?

유정   하하. 엄마도 알겠지만 곰브리치의 『서양미술사』는 책이 상
당히 근사해 보이잖아. 있어 보여서 구입했던지 아니면 읽으려고
사거나 빌려왔어도 솔직히 이 책은 거침없이 읽히지는 않잖아. 곰
브리치의 해석과 주관이 많이 들어 있다고는 하지만 플롯이 있는
소설도 아니고 우리가 자라면서 자주 보거나 접했던 이야기들도
아니잖아. 전공하는 우리도 집중해서 천천히 읽어나가야 하는 책
을 비전공자가 읽으려면 얼마나 어렵겠어. 내 생각에는 곰브리치
의 『서양미술사』는 미술 서적 중에 가장 대표적인 책이라고 하니

까 사람들이 관심을 갖는 게 아닐까? 그래서 그들이 지갑을 열었을 테니 고정적인 베스트셀러에 위치하는 것이고. 이 책을 구입한 사람들 중에 완독한 사람이 얼마나 될까? 그냥 한두 장 읽고 책장에 꽂아놓은 사람들도 꽤 많을걸? 미술사를 처음 접하는 사람들은 쉽게 설명된 책을 먼저 읽고 어느 정도 감이 생겼을 때 이 책을 읽어야 진정한 묘미를 느낄 수 있을 거라고 생각해.

지연   그런데 곰브리치는 이 책을 미술에 처음 입문해서 약간의 오리엔테이션이 필요한 사람을 위해서 썼다고 했거든. 특히 이제 막 미술 세계를 발견한 십 대의 젊은 독자를 염두에 두고 이 책을 썼다는 거야. 그런데 이 책보다 더 쉬운 책이 필요하다는 것은 곰브리치의 의도와는 다르게 이 책이 일반 사람들에게는 어렵게 읽힌다는 거네?

유정   요즘 우리 세대는 텍스트를 직접 읽기보다는 영상을 선호해. 심지어 두 시간짜리 영화도 보기 귀찮아서 20분짜리 요약본을 보거든. 책도 종이 책보다는 저렴하고 간편한 e-book을 찾는 편이고, 눈으로 보기보다는 오디오북으로 듣는 걸 더 선호하기도 해. 나처럼 종이라는 물성을 좋아하는 친구들도 있지만 종이 책은 많이 보관하기 어려우니까 불편해도 e-book으로 책을 보거든. 그러니 우리에게 두꺼운 종이 책은 여러 이유에서 접근성이 떨어져. 그리고 이 책의 엄청난 두께를 봐. 두께만큼 사람들에게 거리감을 주는 거지. 이 책의 양장본은 들고 다니는 것조차 힘들

ILIAS

HOMEROS

POETRAITS
John Berger

THE STORY OF ART

Herman Melville Moby Dick

PICASSO

©홍지연

잖아.

지연   하긴 요즘 아이들은 텍스트를 많이 안 보긴 하더라. 너희도 그렇지만 너희 아래 세대는 더 영상에 익숙한 것 같아. 초등학생들은 과제를 할 때 검색을 위키피디아가 아니라 유튜브에서 한다고 하니. 나 때는 검색도 아니고 도서관 책들을 하나하나 뒤져서 자료 조사했는데…… 곰브리치는 미술 이야기를 쉽게 전달하고 싶었는데 우리가 그것을 두껍고 어려운 미술사로 받아들인 게 아닐까?

유정   엄마가 라떼는(나 때는) 하니까 이상하네. 요즘 책을 사는 친구들은 조그만 에세이나 시집을 선호하는 편이야. 자신의 감정이 드러나 보이는 그런 글의 조각들을 사서 한 편씩 품고 다니고, 디자인이 예쁘고 얇은 책을 모으기도 하거든. 두께 때문이 아니어도 오랜 시간을 들여서 읽어야 하는 책은 점점 더 팔리지 않을 것 같아. 왜냐하면 요즘은 북토크나 책과 관련된 다양한 정보가 영상으로 검색되거든. 내가 서양사 시험 공부를 하면서 예전에 읽었던 『총, 균, 쇠』를 다시 봐야 했는데 물리적으로 시간이 부족해서 유튜브에 검색했거든. 30분짜리 책 읽어주는 프로그램 영상을 봤는데, 내가 읽었지만 기억하지 못했던 부분들을 단시간에 명료하게 정리할 수 있었어.

요즘은 독서 토크나 책 요약해주기 영상들이 더 다양해졌으니까 점점 더 많은 사람들이 책을 보기보다는 영상을 통해서 내용을 파악하겠지. 물론 책을 읽고 다른 이의 생각이 궁금해서 글로 된 자료를 찾는 사람도 있겠지만 영상에만 의존에서 책의 내용을 파악하는 사람들이 더 많을 거라고 생각해. 그들 중에서 그 책에 대한 호기심이 생겨서 읽기에 도전하는 사람들이 많아지면 좋겠지만.

『서양미술사』가 다른 미술서와 다른 점은 뭘까?

지연　얼마 전에 『일리야드』를 읽으면서 『호메로스의 일리야드 읽기』라는 가이드북이 도움이 되었어. 내가 미처 파악하지 못한 부분이 설명되어 있고 작품 속의 장면이 담겨 있는 그림 자료들을 참조해서 보니까 『일리야드』의 세세한 이야기까지 아주 실감나게 읽을 수 있었거든.

　곰브리치의 『서양미술사』는 왜 그런 가이드북이 없는지 궁금하더라고. 그리고 자료를 찾다 보니 이 책에 대한 비판적인 견해들은 많은데 그것을 하나로 집대성한 책은 없는 거야. 미술을 좋아하는 비전공자들도 곰브리치의 『서양미술사』 읽기에 계속 도전하는데 그들을 친절하게 이끌어줄 가이드북이 있다면 이 책이 책장에 놓아두는 책이 아니라 자주 꺼내어 읽는 책이 될 수 있지 않을까?

유정　『일리야드』같은 고전서는 학자들 간의 이견 차가 그리 크지 않지만 곰브리치의『서양미술사』는 이견이 많아서 그것을 총망라한 가이드북을 만든다면 이 책보다 두 배 이상 두꺼워질 것 같지 않아? 나는 이 책이 그렇게 어렵다고 생각되지 않았어. 다만 책의 묵직한 비주얼 때문에 사람들이 쉽게 도전하지 못한다고 생각해. 두께라는 특유의 진입 장벽 때문에 사람들이 어려워하는 것 같아. 하지만 가장 선호하는 판본을 고르라고 하면 나는 묵직한 양장본을 선택하겠어. 벽돌책을 많이 보는 엄마 덕분에 책 두께에 거부감도 없지만 무엇보다 이 책은 오래도록 나와 함께할 책일 것 같아.

지연　처음에 말했지만 이 책은 여타의 미술서와는 다른 결이 있어. 그 뭐랄까 자신의 지식과 생각을 마구 믹싱해서 원하는 대로 차르륵 펼쳐놓은 것 같다고나 할까. 충분히 더 쫀쫀하고 치밀한 미술사를 구성할 수 있는데 곰브리치는 초보자가 충분히 읽을 수 있을 정도로 헐겁게 만든 것 같아. 아무리 생각해봐도 우리의 곰브리치가 무림의 고수이기 때문에 가능했던 거겠지. 그래서 나는 그의 지적인 유희를 하나도 놓치고 싶지 않아서 가이드북이 있으면 좋겠어.

유정　사실 이 책에 현대미술이 없기 때문에 책이 덜 어렵게 느껴질 수도 있어.

　지연　그 부분은 열린 결말로 만든 거야. 그래서 마지막 챕터가

'끝이 없는 이야기'잖아.

유정　현대미술은 정말 어려워. 의견도 다양하고 논란도 많고. 곰브리치가 어느 정도의 정형성 안에서 다채로운 이야기를 펼칠 수 있는 시기의 미술을 주로 다룬 것은 미술에 첫발을 딛는 사람들을 위해서인 거지. 그런데 한국인인 우리가 미술을 접하는 방식은 유럽과 다르기 때문에 우리에게는 이 책이 어렵게 느껴졌을지도 몰라.

지연　미술을 접하는 방식이 다르다는 게 무슨 말이야?

유정　나는 엄마 덕분에 어릴 때부터 미술관이나 박물관에 자주 다녔지만 대부분의 우리나라 아이들은 그렇지 않잖아. 아마도 놀이공원처럼 즐겁고 신나서 미술관에 가는 사람은 그리 많지 않을걸? 미술관에 가면 많은 작품들을 둘러봐야 하니 우리는 원마일룩(집에서 1마일 반경을 돌아다닐 때의 옷차림)을 선호하지만 생각보다 미술관에는 잘 차려입고 가야 한다고 생각하는 사람들이 많아. 우린 여행 중에 갔던 미술관에서 그 나라 아이들이 너무나 편하게 즐기는 모습을 자주 봤잖아. 재작년 베네치아에 갔을 때 기억나? 팔라초 그라시Palazzo Grassi 미술관에서 이탈리아 아이들이 작품 밑에 쪽지를 놓아두고 메시지 맞추는 놀이를 했던 거 말야. 그들에게 미술관은 일상인 거지. 우리처럼 마음먹고 날을 잡아 방문하는 것이 아니라 언제든 편하게 들르는 장소야. 그러니 그들에게는 자연스레 미술이 생활의 한 부분이 된 거고 미술사는 삶의

▲ 팔라초 그라시 미술관에서 열린 뤼크 튀이만Luc Tuymans의 〈La Palle〉 전시 장면, 2019년.
▼ 한쪽에서는 이탈리아 아이들이 작품 밑에 쪽지를 놓아두고 메시지 맞추는 놀이를 하고 있다.

이야기인 거지.

지연   네 말이 맞아. 미술을 접하는 태도가 달라져야 해. 미술에 대해 거리감을 두고 어렵게 생각하지 말고 늘 가까이하면서 작품에 대해 자유롭게 사고할 수 있어야 하는데…….

유정   나는 미술에 대한 경험이 많은 편이기 때문에 미술 자체가 어렵다기보다는 편하거든. 엄마랑 전시를 보고 작품 이야기를 나누거나, 작가 작업실을 가는 것이 나는 좋아. 그런데 미학 입문 강의 시간에 나와 다른 사람들이 많다는 것을 알 수 있는 기회가 있었어. 예술은 우리의 삶을 표현하는 것이니까 미술가는 작품을 통해 자신의 감정과 사고를 표출하고, 감상자는 그 작품을 보고 감동을 느끼거나 비판적 사고를 할 수 있다고 생각했어. 요즘은 다양한 매체를 이용할 수 있으니 사회적 메시지를 전달하기에 예술이 매력적인 수단이라고 생각했지. 그런데 나의 이야기를 듣고 교수님이 한 시간 반 동안 열정적인 반박을 하셨어.

내 생각이 너무 교과서적이라는 거야. 내가 생각하는 예술의 속성들은 다 맞는 말인데 현실적으로 우리의 예술이 그렇지 않다는 게 요지였어. 예술에 대한 인식을 보다 현실적으로 해야 한다고 하셨지. 과거에 미술이 종교와 분리될 수 없었던 것처럼 현대에는 미술이 자본과 불과분의 관계라는 거야. 작품을 팔아서 생계를 유지하는 것은 과거와 동일하지만 오늘날은 미술로 재테크도 하고, 미술이 탈세의 수단이 되기도 하잖아. 그러니 미술과 자본을 떼어놓고 생각할 수 없다는 것이지.

지연   그러네. 뱅크시도 마찬가지야. 그도 처음에는 자신의 메시지를 전달하기 위해서 사람들의 눈을 피해 공공장소에 그림을 그려놓고 사라졌지. 우리는 그가 남긴 그림에서 어떤 말보다 강렬한 메시지를 읽었고. 하지만 지금은 그가 그림을 그려놓으면 그림에 담긴 그의 의도보다는 그 담벼락의 가치가 얼마라는 금전적 가치로 환산되더라고. 심지어 뱅크시의 벽화 위에 아크릴 판을 덧씌워서 그림을 보호한다고도 하던데?

유정   그림의 가치가 높아지면 작가에게 이익이 돌아가야 하는데 그렇지 않잖아. 청년 작가 지원 사업도 들여다보면 진정으로 작가를 지원하는 것 같지 않고. 미술에 대한 제대로 된 제도가 필요하다고 생각해. 어쨌든 교수님의 반박으로 나는 미술 그 자체의 의미도 중요하지만 미술이 동시대 사람들에게 어떻게 녹아 있는지 바라보게 되었어.

지연   곰브리치가 이런 오늘날의 미술에 대해 어떻게 평가할지 너무 궁금하다. 그런데 나는 이 책을 읽으면서 곰브리치의 필력에 반해버렸어. 보통 글을 쓸 때는 다른 사람을 많이 의식하게 되거든. 나도 글을 쓸 때 읽는 사람이 어떤 비판을 할지 긴장되고, 논란의 여지가 있는 부분이 있는지 걱정되거든. 그런데 이 책은 비판의 가능성을 열어두고 거리낌 없이 자신의 이야기를 쓴 거야. 이견이 있는 사람들은 다 덤벼도 된다고 문을 활짝 열어놓은 것 같았지.

책의 서론부터 너무 마음에 들었어. "미술이라는 것은 사실상 존재하지 않는다. 다만 미술가들이 있을 뿐이다." 되새길수록 마음에 드는 말이더라고. 서양미술사를 알기 위해 이 책을 읽었는데 미술사보다 저자에게 빠져버린 거지.

유정　자신의 생각을 한 치의 오차도 없이 끼워 맞추는 것도 필요하지만 곰브리치처럼 비판의 여지가 있는 글이 나는 더 좋아. 그 비판과 반박이 있어야 미술사도 철학도 진보할 수 있다고 생각하거든. 곰브리치는 절대적인 미술사가 없다는 것을 진즉에 알고 있었나 봐.

지연　맞아. 곰브리치는 미술 무림의 매력적인 고수야. 우리 유정이도 자신이 보고 생각하는 것을 거리낌 없이 표현할 수 있는 예술학도가 되었으면 좋겠어. 비판을 두려워한다거나 스스로가 부족하다고 생각하거나 눈치 보지 말고 과감하게 네 생각을 펼치면 좋겠다.

유정　그러기 위해서는 그전에 졸업부터 해야겠지?

신유정

홍익대학교 예술학과 재학생. 학생회 답사부장이며 학회 '그림보기'에서 활동 중이다. 미술 전시와 돌.코.브.를 좋아하고 호기심 많은 이십 대이다.

아트콜렉티브 소격

김민지   대학에서 한국사를 전공했다. 앞으로는 다른 공부를 해볼 생각이다.

손경여   예술학을 전공한 편집자. 미술뿐 아니라 문화예술을 폭넓게 들여다보는 책을 만들고 있다.

심혜경   도서관 사서로 오랫동안 일했고, 지금은 전업 번역가다. 책, 영화, 여행으로 이어지는 삶을 살고 있다.

윤유미   유아교육학을 전공하고 6년간 어린이를 가르쳤다. 국립현대미술관 어린이미술관 교육 서포터즈로 활동하고 있다.

이상준   조각가이며 대학에서 '미술의 이해', '현대조각론' 등을 강의하고 있다. 매일매일 예술과 자신에 대해서 생각한다.

이소영   현대미술사를 전공하고 미술에 대한 글을 쓴다. 책방 '마그앤그래'를 운영하며 대중적인 호흡으로 문화를 전달하고 있다.

최예선   신문방송학과 미술사학을 전공하고, 예술과 대중 사이를 가깝게 하는 책을 쓴다. 예술에서의 글쓰기에 관심이 많다.

홍지석   미술사 방법론을 깊이 고민하는 미술사학자. 미술사, 미술비평, 예술심리학 등의 분야를 연구하고 강의한다.

홍지연   컨설팅과 기획 업무를 하며 늘 전시장을 산책한다. 국립현대미술관 제8기 자문단이며 대안공간 SPACE22의 운영위원이다.

아트콜렉티브 소격 #5 곰브리치

ⓒ 아트콜렉티브 소격, 2021

초판 1쇄 발행 2021년 6월 21일

발행인 아트콜렉티브 소격 | **편집장 손경여** | **편집 최예선** | **디자인 민혜원**

발행 모요사 | **등록 2019년 12월 19일(고양, 바00036)** | **전화 031 915 6777** | **팩스 031 5171 3011**

인스타그램 @artcollective_sogyeok

ISSN 2713-4997

ISBN 978-89-97066-53-7 (세트)

ISBN 978-89-97066-68-1 04600